TEXTE U...
FÜR D...

Kürzestgeschichten

Herausgegeben von
Christine Hummel

Reclam

Die Rechtschreibung der Texte folgt jeweils dem
Originaldruck.

RECLAMS UNIVERSAL-BIBLIOTHEK Nr. 15064
Alle Rechte vorbehalten
© 2010 Philipp Reclam jun. GmbH & Co. KG, Stuttgart
Gesamtherstellung: Reclam, Ditzingen. Printed in Germany 2015
RECLAM, UNIVERSAL-BIBLIOTHEK und
RECLAMS UNIVERSAL-BIBLIOTHEK sind eingetragene Marken
der Philipp Reclam jun. GmbH & Co. KG, Stuttgart
ISBN 978-3-15-015064-1

www.reclam.de

Inhalt

I. Vorwort
Versuch einer Begriffsbestimmung
der Kürzestgeschichte

> »Es sind Gedichte in Prosa. Abgekürzte Romane
> und Tragödien im Umfang von Epigrammen,
> unheimliche Träume, Angstträume, Alpträume,
> Visionen des Schreckens des 20. Jahrhunderts …
> Die meisten Geschichten der Kaschnitz enthal-
> ten in der Kürze ein ganzes Leben, den Roman
> eines Lebens in motivischer Verknappung.«

Die Äußerung von Hermann Kesten über die 74 Prosastücke der Sammlung *Steht noch dahin* von Marie Luise
Kaschnitz (Klappentext) lässt sich auf einen Großteil der
im vorliegenden Band abgedruckten kurzen Texte übertra-
gen. Die 80 Texte von 41 Autorinnen und Autoren, die in
maximal fünf Minuten zu lesen sind, weisen als knappe
Momentaufnahmen oder Skizzen oftmals weit über sich
hinaus. Diese Form der Umfangsreduktion und damit ein-
hergehend der inhaltlichen Komprimierung ist eines der
wichtigsten Merkmale der Kürzestgeschichte.

Die Bestimmung des Begriffs ›Kürzestgeschichte‹ ist
schwierig, denn es existieren mehrere, teilweise wider-
sprüchliche Versuche, die relativ junge, erst 1955 von Heimito von Doderer als »Kürzestgeschichte« bezeichnete
Gattung zu definieren. Unterschiedliche Kriterien werden
bemüht, dazu zählen beispielsweise Umfang, Handlung
oder Fabel bzw. Plot, das Verhältnis zu verwandten Text-
formen (Kalendergeschichte, Skizze, Zeitungsfeuilleton)
sowie die Traditionen der Reflexionsprosa und der Kurzgeschichte (s. u.), aus denen die Kürzestgeschichte entstan-
den ist.

Grundsätzlich unterliegen literarische Gattungen und ihre Unterformen (›Genres‹), wie beispielsweise Kurz- und
Kürzestgeschichte, dem historischen Wandel. Dies haben

sie gemeinsam mit anderen kulturellen Ausdrucksweisen. Infolge der von den Autorinnen und Autoren intendierten Auflösungen und experimenteller Grenzüberschreitungen der Gattungen seit Beginn des 20. Jahrhunderts wurden normative (also: normgebende) Gattungsvorgaben durch ein offenes Verständnis literarischer Formen abgelöst. Diese begreift man heute als flexible konventionalisierte Kommunikationsweisen, die gesellschaftlichen Einflüssen ausgesetzt sind. Den stetigen Wandel literarischer Formen begleiten die wissenschaftlichen Bemühungen, Gattungen zu beschreiben und Texte nach formalen, medialen oder inhaltlichen Kriterien zu kategorisieren. Deshalb ist die wissenschaftliche Auseinandersetzung darüber, was eine Kürzestgeschichte ist, wodurch sie sich besonders auszeichnet und von anderen literarischen Formen unterscheidet, nicht abgeschlossen.[1]

Eine Möglichkeit, die Kürzestgeschichte gattungspoetisch zu bestimmen, liegt in der Abgrenzung zur Kurzgeschichte. Die Länge einer Kurzgeschichte beträgt, wie der Literaturwissenschaftler Ludwig Rohner anhand einer Untersuchung von 400 Kurzgeschichten ermittelt hat, durchschnittlich acht Seiten.[2] Mit der Definition »for one cut«, was so viel bedeutet wie: einen Haarschnitt lang, legt der amerikanische Autor Ernest Hemingway eine grobe zeitliche Bemessung fest, ähnlich wie vor ihm Edgar Allan Poe, der als Zeitraum für die Lektüre einer Kurzgeschichte »at one sitting« benannte: Man liest eine Kurzgeschichte, ohne zwischendurch aufstehen zu müssen.

Für die Kürzestgeschichte gibt es ähnliche Versuche, sie hinsichtlich ihres Umfangs festzulegen: Hans-Christoph

---

1 Vgl. speziell zur kleinen Prosa die Beiträge des jüngst erschienenen Sammelbands *Kleine Prosa. Theorie und Geschichte eines Textfeldes im Literatursystem der Moderne*, hrsg. von Thomas Althaus, Wolfgang Bunzel und Dirk Göttsche, Tübingen 2007. Zu »Gattungstheorie und Gattungsgrenzen« im Allgemeinen vgl. meinen Beitrag in: Sabina Becker, Christine Hummel und Gabriele Sander, *Grundkurs Literaturwissenschaft*, Stuttgart 2006, S. 75–82.
2 Ludwig Rohner, *Theorie der Kurzgeschichte*, Frankfurt a. M. 1973, S. 156.

Graf von Nayhauss begrenzt sie auf zwei Zeilen bis »höchstens drei Seiten, denn darüber hinaus redet man von der Kurzgeschichte«.[3] Susanne Schubert setzt für ihre Untersuchung der Kürzestgeschichte in Anlehnung an Reingard M. Nischik eine höhere Wortzahlobergrenze von 1200 Wörtern an.[4] Das entspricht in etwa dem Umfang von bis zu vier, maximal fünf Seiten und einer Lesezeit von rund fünf Minuten. Dieses Kriterium war für die Auswahl der Texte des vorliegenden Bandes maßgeblich. Die Übergänge zur Kurzgeschichte sind bei Texten dieser Länge fließend, da die kurze Kurzgeschichte (short shortstory) aus ersterer durch Komprimierung und Kondensierung hervorgeht.[5]

Die inzwischen etablierte Bezeichnung »Kürzestgeschichte« hat der österreichische Romancier Heimito von Doderer – wie schon eingangs erwähnt – in der Zeitschrift *Akzente* (1955) eingeführt,[6] indem er seine Kürzesttexte sowie die von Günter Grass und Gisela Elsner mit dem Begriff überschrieb. Leonie Marx attestiert in ihrer Studie über die deutschsprachige Kurzgeschichte diesen Texten und der Kürzestgeschichte überhaupt eine Reduktion der Fabel, also des Plots bzw. Handlungsverlaufs. Doderers Texte seien »nicht nur quantitativ, nämlich auf wenige Sätze reduziert, sondern auch qualitativ durch stark verdichtende Aussparung gekennzeichnet«.[7] Die Kürzestgeschichte ist »sprachlich noch dichter und pointierter« gehalten als eine Kurzgeschichte, so dass sie als »Zuspitzung« der Kurzge-

---

3 *Kürzestgeschichten*, für die Sekundarstufe hrsg. von Hans-Christoph Graf von Nayhauss, Stuttgart 1982, »Vorwort« S. 5–9, hier S. 5.

4 Susanne Schubert, *Die Kürzestgeschichte: Struktur und Wirkung. Annäherung an die Short Short Story unter dissonanztheoretischen Gesichtspunkten*, Frankfurt a. M. [u. a.] 1997, S. 93.

5 Vgl. ebd., S. 11.

6 Vgl. dazu: Dirk Göttsche, *Kleine Prosa in Moderne und Gegenwart*, Münster 2006, S. 109; Leonie Marx, *Die deutsche Kurzgeschichte*, Stuttgart/Weimar, 2., überarb. und erw. Aufl. 1997, S. 88 f.; Jürgen Zander, *Die moderne Kürzestgeschichte in der Sekundarstufe I*, Diss. Karlsruhe 1992, S. 229. – Die Geschichten von Heimito von Doderer, Günter Grass und Gisela Elsner finden sich im vorliegenden Band auf den S. 17–21.

7 Marx (Anm. 6), S. 88 f.

schichte bezeichnet wurde; ihre extrem reduzierte Fabel stelle eine »Fortentwicklung der Weglassungskunst« dar, konstatiert Marx.[8] Werner Bellmann zielt bei der Unterscheidung von Kurz- und Kürzestgeschichte ebenfalls auf die Verknappung von Umfang und Handlung:

> »Unter ›Kürzestgeschichten‹ versteht man heute zumeist fiktionale Erzählprosatexte, in denen gegenüber der Kurzgeschichte eine noch höhergradige Komprimierung und erzählerische Reduktion vorliegt, die also das Ergebnis einer zunehmenden Verknappung der Kurzgeschichte darstellen.«[9]

Exemplarisch nennt Bellmann Geschichten aus Peter Bichsels Sammlung *Eigentlich möchte Frau Blum den Milchmann kennenlernen*[10] und dessen Text *Immer wieder Weishaupt* sowie außerdem Kurt Martis *Neapel sehen*[11], Gabriele Wohmanns *Die Klavierstunde*, Helga M. Novaks *Abgefertigt* und Günter Kunerts *Zentralbahnhof*. Mindestkriterium der Kürzestgeschichte ist nach der Definition von Jochen Vogt, dass durch die Handlung einer oder mehrerer Figuren ein gegebener Zustand verändert wird:

> »Von einer Erzählung/Geschichte erwarten wir also, daß etwas geschieht, anders gesagt: daß ein Zustand A durch die Handlung(en) einer oder mehrerer Figur(en) zu einem Zustand B verändert wird. Das wäre gewissermaßen das narrative Minimum, eine *Kürzestgeschichte*.«[12]

8 Ebd., S. 89; Marx beruft sich auf R. Lorbe, »Die deutsche Kurzgeschichte der Jahrhundertmitte«, in: *Der Deutschunterricht 9* (1957) H. 1, S. 20–35, und A. Datta, *Kleinformen der deutschen Erzählprosa seit 1945. Eine poetologische Studie*, Diss. München 1972.
9 Werner Bellmann, »Nachwort«, in: *Deutsche Kurzprosa der Gegenwart*, hrsg. von W. B. und Christine Hummel, Stuttgart 2005, S. 191–203, hier S. 193.
10 Im vorliegenden Band S. 29–33.
11 Im vorliegenden Band S. 24 f.
12 Jochen Vogt, *Einladung zur Literaturwissenschaft*, München, 2., durchges. und aktual. Aufl. 2001, S. 99.

Seit Ende der 1960er Jahre lässt sich dabei eine zunehmende Entfabelung beobachten, so dass also »kaum noch ›Geschichten‹ erzählt werden«.[13] Den Aspekt der Reduktion stellt Dirk Göttsche bei seiner Abgrenzung der Kürzestgeschichte in den Mittelpunkt und spricht von Experimenten mit »Minimalformen des Erzählens [...], die das Format der Kurzgeschichte nochmals unterbieten«.[14] Er konstatiert, durch die Prosaexperimente der 1960er Jahre setze sich »diese Linie narrativer Kleiner Prosa in die Gegenwart fort, wobei die Tendenz der Kürzestgeschichte zum experimentellen Spiel mit Erzählkonventionen und Lesererwartungen sowie phantastischen Verfremdungen und grotesken Pointierungen« bestärkt würden.[15] Er untersucht exemplarisch Thomas Bernhards Kürzestgeschichte *Fast*[16] und Botho Strauß' *Mädchen mit Zierkamm*[17], die er als »narrative Prosaskizzen in der durch Charles Baudelaire und Walter Benjamin geprägten Tradition des phänomenologischen Blicks auf die Welt der modernen Metropole« bezeichnet.[18] Experimentierfreude stellt auch Susanne Schubert als wichtiges Merkmal heraus, da die Kürzestgeschichte wie ein »Vexierspiegel« zahlreiche Elemente auf kleiner Fläche verzerrt reflektiere, »mal dieses, mal jenes Element übergroß betonend und dabei ›reale‹ Größenverhältnisse, ›ehrwürdige‹ literarische Traditionen und literaturwissenschaftliche Kanonisierungsversuche missachtet«.[19]

Mit Blick auf das Kriterium der Fiktionalität (›Erfundenheit‹) beschreitet Jürgen Zander in seiner Dissertation an-

13 Werner Bellmann, »Nachwort«, in: *Klassische Deutsche Kurzgeschichten*, hrsg. von W. B., Stuttgart 2003, S. 313–333, hier S. 329.
14 Göttsche (Anm. 6), S. 109. Die Arbeit von Dirk Göttsche ordnet die Kürzestgeschichte historisch und formal mit Blick auf die verwandten Gattungen (Prosaskizze, Kalendergeschichte, Prosagedicht) ein.
15 Ebd.
16 Ebd., S. 110 f. – Im vorliegenden Band S. 47 f.
17 Im vorliegenden Band S. 55–59.
18 Ebd., S. 114. – Zu Benjamin s. Anm. 30.
19 Schubert (Anm. 4), S. 30.

dere Wege: Er ordnet die Kürzestgeschichte der faktualen, also nicht auf Erfindung beruhenden Literatur zu. In seiner Studie bestimmt er eine Reihe von Faktoren, die für die Kürzestgeschichte maßgebend seien: Hinsichtlich Text und Thema legt Zander fest, dass Kürzestgeschichten zur Einseitigkeit tendieren, eine Lesezeit von ein bis zwei Minuten umfassen, monothematisch sind und darüber hinaus gekennzeichnet durch die Einheit der erzählten Situation, des Ortes und der präsentierten Zeit sowie des Grundgestus' und des Themas.[20] Die Kürzestgeschichte ist, so Zander, in sich abgeschlossen, exemplarisch, ausschnitthaft, reduziert und statt Entwicklung durch Statik oder Sprünge geprägt, was eine dissonante Wirkung erzielt.[21] Die Sprache der Kürzestgeschichte sei monologisch, nahe an der Gegenwartssprache und frei von Symbolik, sie habe keine zweite Bedeutungsebene (wie die Parabel[22]) und ziele weniger auf Deutung als auf »emotionelle[] und kognitive[] Nachgestaltung« und Ergänzung; die Kürzestgeschichte stehe überdies meist im Präsens und nicht im Distanz schaffenden epischen Präteritum.[23]

Hinsichtlich der Struktur bestimmt Zander folgende Merkmale: die »prägnante Gestalt« der Kürzestgeschichte entspringe einer argumentativen, »dialektischen (zumindest antithetischen) Annäherung an erfahrbare Brüche in der sozialen Realität«; sie sei neutral erzählt und die »Steuergröße ist der Autor selbst«. Er führt diesen Gedanken zum Realitätsbezug fort:

> »Der Autor reagiert reflektierend auf einen wahrgenommenen, erlebbaren Bruch in der sozialen Realität. Die biographische Motivierung ist als Zeitmarke des bedeutungsorganisierenden Reflexes, als Nullzeit des Erzählens im Text vorfindbar.«[24]

20 Zander (Anm. 6), S. 193.
21 Ebd., S. 194 f.
22 Zur Parabel vgl. Rüdiger Zymner, »Parabel«, in: *Kleine literarische Formen in Einzeldarstellungen* [ohne Hrsg.], Stuttgart 2002, S. 174–190.
23 Zander (Anm. 6), S. 197 f.
24 Ebd., S. 195.

In diesem Zitat, wie auch in der Grafik »Merkmals-
profile«[25], betont Zander, dass die Kürzestgeschichte –
wie oben schon erwähnt – der nonfiktionalen (faktualen)
Literatur zuzuordnen sci und in ihr ein realer Autor über
reale Sachverhalte zu einem realen Leser spreche. Ob dieses Kriterium haltbar ist, muss bezweifelt werden, fiele
dann doch zum Beispiel Beat Brechbühls parabelhafte
Kürzestgeschichte *Die Maus*[26] aus der Untergattung ebenso heraus wie beispielsweise die mit phantastischen Ele-
menten durchsetzten Texte von Helmut Heißenbüttel,
Horst Bingel oder Felicitas Hoppe. Die Begriffe ›fiktional‹
und ›faktual‹ präzisieren die Narratologen Matías Martínez und Michael Scheffel. Sie geben folgende Definition
zur Unterscheidung von fiktionaler Literatur und faktualen Texten:

>»Faktuale Texte sind Teil einer realen Kommunikation,
>in der das reale Schreiben eines realen Autors einen Text
>produziert, der aus Sätzen besteht, die von einem realen
>Leser gelesen und als tatsächliche Behauptungen des Au-
>tors verstanden werden. Fiktionale Texte sind ebenfalls
>Teil einer realen Kommunikationssituation, in der ein
>realer Autor Sätze produziert, die von einem rcalen Le-
>ser gelesen werden. Fiktionale Texte sind jedoch kom-
>plexer als faktuale, weil sie außer der rcalen noch einer
>zweiten, imaginären Kommunikationssituation ange-
>hören.«[27]

Ein Beispiel für faktuale Texte ist der Zeitungsbericht, in
dem ein realer Autor (ein Journalist) über einen realen
Sachverhalt (z. B. über ein politisches Ereignis) faktenge-
treu für einen realen Adressaten, den Zeitungsleser also,
schreibt. Geschichten dagegen sind erzählende, fiktionale,
literarische Texte. Helmut Heißenbüttels an Franz Kafkas

25 Ebd. S. 203.
26 Im vorliegenden Band S. 51–53.
27 Matías Martínez und Michael Scheffel, *Einführung in die Erzähltheorie.*
    München 1999 [u. ö.], S. 17.

13

Parabeln geschulter Text *Ein Zimmer in meiner Wohnung*[28]
ist nach Zanders Begriffsdefinition *keine* Kürzestgeschichte, da es sich ganz offensichtlich um eine Fiktion handelt.
Auch Günter Eichs sprachspielerische *Maulwürfe* sind fiktionale Literatur und fallen durch das Raster, das Jürgen
Zander deklariert. Zu fragen wäre, ob beispielsweise *Der
Liebebedürftige*[29] in der Kalendergeschichte von Peter Maiwald, die Zander untersucht, einem realen Menschen in einer realen Stadt entspricht.

Daraus folgt: Nonfiktionalität ist *keine* notwendige Bedingung der Kürzestgeschichte; das betonen auch andere
oben zitierte Forschungspositionen (Bellmann, Göttsche,
Marx, Nayhauss, Vogt) ausdrücklich und gehen vom Ge-
genteil, der Fiktionalität der Kürzestgeschichte, aus.

In die vorliegende Sammlung habe ich neben klassischen
fiktionalen Kürzestgeschichten, die in ebenjenem Sinne eine Geschichte erzählen, auch Reflexionsprosa in der Tradition des Benjaminschen Denkbildes[30] aufgenommen, z. B.
von Peter Handke[31]. Die Bezüge zur Tradition lassen sich
herstellen, wenn man Vorläufertexte hinzuzieht, z. B. die
Kalendergeschichten von Johann Peter Hebel aus dem

28 Im vorliegenden Band S. 27–29.
29 Im vorliegenden Band S. 69 f. – Zander untersucht vier Texte: Ror Wolf,
    Gewisse Ungewissheiten in X, Ludwig Fels, *Unser aller Opa*, Günter Ku-
    nert, *Die Maschine* und Peter Maiwald, *Der Liebebedürftige*. – Zur Form
    und Tradition der Kalendergeschichte vgl. den Beitrag von Michael Schef-
    fel, »Kalendergeschichte«, in: *Kleine literarische Formen in Einzeldarstel-
    lungen* (Anm. 22), S. 111–123.
30 Walter Benjamin führte für seine Prosastücke den Begriff »Denkbild« ein;
    er versteht darunter Texte, die den Leser zum Nachdenken anregen: »sie
    enthalten einen konkreten Sachverhalt (Bild) und eine daran anknüpfende
    Reflexion (Denken)«. Vgl. dazu Göttsche (Anm. 6), S. 35. Vgl. weiterfüh-
    rend: Dirk Oschmann, »Kleine Prosa – Kleine Phänomenologie. Benja-
    mins Erkundungen der Lebenswelt«, in: *Kleine Prosa* (Anm. 1), S. 235–252,
    und Dirk Göttsche, »Prosaskizzen als Denkbilder. Zum Zusammenspiel
    der Schreibweisen in der Kleinen Prosa der Gegenwart«, in: *Kleine Prosa*
    (Anm. 1), S. 283–302.
31 Im vorliegenden Band S. 70 f.

Schatzkästlein des Rheinischen Hausfreundes, die kurze Prosa Kleists oder – im 20. Jahrhundert – von Robert Walser (z. B. *Schnee* oder *Mittagspause*)[32] oder von Peter Altenberg (z. B. *Sommer-Abend* oder *Spätsommer-Nachmittag*)[33]. Auch die *Keuner*-Geschichten von Bertolt Brecht stehen im Zusammenhang der Kürzestprosa; ergänzt werden könnte diese Reihe um kurze Prosa unter anderem von Franz Kafka oder Walter Benjamin oder, aus der Nachkriegszeit, von Heinrich Böll[34].

Neben den Kürzestgeschichten, die den grundlegenden Gattungskriterien (Länge, Handlung, Fiktionalität) entsprechen, stehen in dieser Anthologie Texte, die verwandt sind mit dem Prosagedicht, wie etwa die Prosaskizzen von Sarah Kirsch oder Marie Luise Kaschnitz[35], die keine innere Entwicklung aufzeigen oder eine äußere Handlung von Figuren erzählen.

Um den Leserinnen und Lesern eine unvoreingenommene Lektüre zu ermöglichen, sind die Texte nicht nach thematischen Aspekten gruppiert. Statt dessen habe ich sie in chronologischer Folge nach Druckdaten oder – falls bekannt – nach ihrer Entstehung – geordnet, die in Kapitel IV. (Autoren- und Quellenverzeichnis) nachgewiesen sind. Die Entwicklungslinien aus der Tradition der Kalendergeschichte und der Reflexionsprosa zur Kurzgeschichte und in einem weiteren Schritt zur Kürzestgeschichte und über sie hinaus zu experimentellen Formen der kurzen Prosa werden auf diese Weise sichtbar. Darüber hinaus möchte

---

32 In: Robert Walser, *Kleine Dichtungen Prosastücke Kleine Prosa*, hrsg. von Jochen Greven; *Das Gesamtwerk*, Bd. 2, Genf/Hamburg 1971.

33 In: *Das große Altenberg Buch*, hrsg. und mit einem Nachw. vers. von Werner H. Schweiger, Wien/Hamburg 1977.

34 Beispielsweise *Wiedersehen mit dem Dorf* oder *Die Decke von damals*, in: Heinrich Böll, Erzählungen, hrsg. von Viktor Böll und Karl Heiner Busse, Köln 1994.

35 Vgl. dazu Göttsche (Anm. 6), S. 117: Diese Texte zeichnen sich aus durch »motivische Konzentration auf bildhafte Augenblickseindrücke im Übergangsbereich zur Prosaskizze«; vgl. auch Göttsche, »Prosaskizzen als Denkbilder« (Anm. 30), S. 295 f.

die Textsammlung, die nur eine kleine Auswahl aus einer Fülle an Kürzestgeschichten repräsentiert, dazu anregen, in eigener Lektüre formale und thematische Verbindungen zwischen den einzelnen Texten aufzuspüren.

Christine Hummel

II. Texte

Heimito von Doderer

Kürzestgeschichten aus Wien

Das Frühstück

Heute morgens frühstückte ich im Bade, etwas zerstreut. Ich goß den Tee in das zum Zähneputzen bestimmte Gefäß, und warf zwei Stücke Zucker in die Badewanne, welche aber nicht genügten, ein so großes Quantum Wassers merklich zu versüßen.

Unser Zeitalter

Meine Hausmeisterin hat sich von ihrem Manne scheiden lassen, was insoferne eine gewisse Erleichterung für mich bedeutet, als jenem die Kragen-Nummer mit mir gemeinsam war. Seit jedoch ihr neuer Freund daraufgekommen ist, daß man im Sommer die Hemden auch offen tragen könne, sind schon wiederum zwei neue seidene, die ich erst kürzlich in Gebrauch nahm, in der Waschanstalt verlorengegangen.

Die Liebe

Schon griff sie nach meinem Herzen, um ihre Nägel in seinem Blute zu röten, aber diese waren eigentlich schon rot, wovor mir im entscheidenden Augenblicke derart grauste, daß ich den Korb, den sie mir vielleicht nicht gegeben hätte, mit einigen Komplimenten geschwind vor ihre Türe gesetzt habe.

Durch eine alte Dame mit kleinem Hund, welche infolge ihrer Umständlichkeit die Abfertigung am Postschalter verzögerte, zur äußersten Wut gebracht, schlug er – da ihm denn die Ehrfurcht vor dem Alter hier jede direkte Ausschreitung verwehrte – mit einer schweren, zum Teil eisenbeschlagenen Keule, welche der Angeklagte damals für solche Zwecke stets bei sich zu führen pflegte, die Front des gegenüberliegenden Hauses ein, wodurch drei Wohnungen beschädigt und sechs Personen, wenn auch nicht erheblich, so doch derart verletzt wurden, daß sie ärztliche Hilfe in Anspruch nehmen mußten.

GÜNTER GRASS

Kürzestgeschichten aus Berlin

Mißlungener Überfall

Am Mittwoch.
Jeder wußte wieviele Stufen hinauf,
Den Druck auf den Knopf,
die zweite Tür links.
Sie stürmten die Kasse.
Es war aber Sonntag
und das Geld in der Kirche.

Tierschutz

Das Klavier in den Zoo.
Schnell, bringt das Zebra in die gute Stube.
Seid freundlich mit ihm,
es kommt aus Bechstein.
Noten frißt es
und unsere süßen Ohren.

Nächtliches Stadion

Langsam ging der Fußball am Himmel auf.
Nun sah man, daß die Tribüne besetzt war.
Einsam stand der Dichter im Tor,
doch der Schiedsrichter pfiff: Abseits.

GISELA ELSNER
Kürzestgeschichten um Triboll

Der Dumme

Sie standen beieinander, und sie wußten alle das gleiche,
und sie glaubten, daß es viel sei, was sie wußten. Einen gab
es unter ihnen, der wußte nicht das gleiche wie sie, und sie
nannten ihn dumm. Es war Triboll. Der wurde bescheiden,
als er hörte, daß er dumm sei, und verkroch sich, damit ihn
niemand mehr sah. Aber die anderen hatten kein Mitleid
mit ihm und krochen ihm nach und sahen ihn an und rede-
ten über das, was er nicht verstehen konnte. Sie sahen, wie
sehr Triboll litt, und waren befriedigt, daß sie es waren, die
ihn leiden machten.

Da änderte sich die Welt, und plötzlich war Triboll klug,

und die anderen waren dumm, weitaus dümmer als er, und Triboll wollte sich rächen für das, was ihm die anderen vorher angetan hatten. Er redete so zu ihnen, daß sie ihn nicht verstanden, weil sie nicht wußten, was er wußte. Aber sie bewunderten ihn, und niemand schämte sich dafür, daß er nicht wußte, was Triboll wußte, und Triboll hatte Mitleid mit ihnen und konnte sie nicht quälen. Er wußte, daß er immer anders gewesen und allein war, und er erwartete mit Angst die Zeit, die, das wußte er genau, einmal wiederkehren würde, die Zeit, in der sich die Welt wieder änderte, und in der ihn die anderen wieder quälen würden.

Herausragen

Triboll ragte aus der Straße heraus, er ragte schon länger heraus, plötzlich jedoch hatte das Ragen ein Ende. Ein Baum kam, und als Triboll daneben stand, mußte er zugeben, daß der Baum ragte und er nicht mehr. Weil er sich so sehr wünschte, wieder ragen zu können, nahm er eine Axt und machte aus dem Baum eine Leiche. Triboll war zwar jetzt ein Mörder, aber er konnte wieder ragen.

Da kam ein Haus, das ganz nahe an der Straße stand. Es war ein neues Haus, ein Haus mit weißen Wänden, einem spärlichen Eingang und einem sehr spärlichen Fenster. Im Fenster hing die Phantasielosigkeit und schrie, und eine hohe Mauer, betont konservativ, umgab das Bauwerk. Aber das Haus ragte, und es war schwerer, ein Haus als einen Baum zu ermorden. Triboll ließ es einfach unter sich. Er stieg über die konservative Gartenmauer und setzte sich, es hatte ihm viel Anstrengung gekostet, auf den Giebel des Hauses. Nun ragte er wieder, hatte eine weitaus bessere Sicht als jemals zuvor, und er sah, daß andere ebenso ragten wie er, doch er ragte mit Freuden in dieser Gesellschaft und lächelte herablassend, als er einen Jugendragenden auf der Straße stolz einherstelzen sah. Triboll war ein erwachsener Ragender geworden.

Als Triboll erwachte, saß sein Gesicht am Hinterkopf. Das gefiel Triboll. Wenn er spazierenging, sahen ihm die Leute nach, und Triboll freute sich darüber, weil er sehen konnte, daß ihm die Leute nachsahen. Doch diese waren nicht dümmer als er. Als sie bemerkten, daß Triboll zusah, wie sie ihm nachschauten, schauten sie ihm vor, und das konnte Triboll nicht mehr sehen, denn sein Gesicht saß ja am Hinterkopf. Er glaubte deshalb, er sei wieder wie die anderen, und wollte wieder Freundschaft mit ihnen schließen. Doch die anderen wurden böse und sagten, er sei nicht so wie sie. Triboll hielt es für eine Lüge und empfahl ihnen, zu beichten, weil er fürchtete, sie kämen wegen ihrer Verlogenheit in die Hölle. Die anderen lachten ihn aus. Da ging die Welt mit Triboll und den anderen unter, und Triboll kam in den Himmel.

Als er dort die anderen schon vorfand, dachte er, er sei in der Hölle, und glaubte niemandem den Himmel, denn er wußte, daß alle logen. So blieb er seine Ewigkeit lang in der Hölle.

HEINER MÜLLER
Schotterbek

Schotterbek, als er, an einem Junimorgen 1953 in Berlin, unter den Schlägen seiner Mitgefangenen aufatmend zusammenbrach, hörte aus dem Lärm der Panzerketten, durch die preußisch dicken Mauern seines Gefängnisses gedämpft, den nicht zu vergessenden Klang der Internationale

Daß Hitler die ihm aufgetragenen Arbeiten zur Zufriedenheit seiner großen Geldgeber ausführte, blieb nicht ohne Folgen für Friedrich B., Inhaber einer Fleischerei in S. in Mecklenburg. Um sich auf dem grünen Zweig zu halten, zog er an den Festtagen der Diktatur das braune Hemd an.

Er blieb, als Hitler sein Heer in Marsch setzte, auf seinem Posten, in der eigenen kleinen Fleischerei. Auch die war schwer zu halten. Je mehr Schlachten gewonnen wurden, desto knapper wurde Schlachtvieh. Im Anfang schützte ihn ein Magenleiden. Es verschlimmerte sich mit der Lage. Als die Ostfront zerschlagen wurde, lief er Gefahr, das ungeliebte braune Hemd gegen den verhaßten grauen Rock eintauschen zu müssen. Im vierten Kriegsjahr fand er Gelegenheit, sich so verdient zu machen, daß er zivil bleiben durfte.

Ein feindliches Bombenflugzeug war bei der Stadt abgestürzt. Ein Trupp SA, an die Unfallstätte kommandiert, fand neben dem verbrannten Flugzeug schwerverletzt den Piloten. Befohlen war, etwa noch lebende Besatzung, ob verwundet oder nicht, zu erschießen. Der Truppführer fragte nach Freiwilligen. B., entschlossen, sich der Familie und dem Geschäft zu erhalten, meldete sich und schoß, verwirrt durch das mehr erstaunte als erschrockene Gesicht des jungen Fliegers, dreimal.

Er starb gegen Ende des Hitlerkrieges, beim Heranrücken der Roten Armee, nachts im See vor der Stadt.

Gegen Mitternacht aus unruhigem Schlaf erwachend, fand seine Frau sein Bett leer. Ihr fiel ein und sie verstand jetzt, was er am Abend gesagt und was er verschwiegen hatte. Sie war allein: die Kinder waren, da die Stadt verteidigt werden sollte, zu einer Schwägerin aufs Land gebracht worden. Sie stand auf, zog den Mantel über das Nachthemd, schloß das Haus ab und lief, sie wußte, wo er zu suchen war, zum See, einem kleinen Gewässer, still, tief genug für Selbstmörder. Der Mann war schon im Wasser. Ohne Zögern warf sie den Mantel ab. Das Wasser war eisig. Sie wartete, bis der Mann unterging und wieder auftauchte. Dann schwamm sie auf ihn zu, legte einen Arm um den Erschöpften. Er wehrte sich nur schwach. Aber als ihm Wasser in den Mund schlug, umklammerte er die Frau. Sie konnte seine Augen sehen, groß und ohne Ausdruck. Es gelang ihr, ihn abzuschütteln. Er ging wieder unter. Sie spürte, wie er ihr rechtes Bein über dem Fuß umspannte. Sinkend stieß sie ihm den anderen Fuß ins Gesicht. Als er auftauchte, blutete er aus dem Mund, griff wieder nach ihr, faßte ihr Haar und hielt fest. Sie tastete nach seinem Hals und drückte zu. Als sie ans Ufer schwamm, wußte sie, daß sie ihren Mann getötet hatte. Im Grase hockend, das Gesicht an die kalten zitternden Knie gedrückt, dachte sie an die Kinder.

Die Nacht war hell von Feuerschein. Sehr nah dröhnten die Geschütze. Die Frau fühlte im Gehen nach dem Schlüssel in der Manteltasche. In den Straßen fuhren Panzer, Sterne an den Türmen. Auf die Frau wurde nicht geschossen.

HEINER MÜLLER

Erzählung des Arbeiters Franz K.

Ich bin Bauarbeiter, rot seit 1918, seit 46 nicht mehr so. Ich habe mit der Wismut das Erzgebirge auf den Kopf gestellt, acht Stunden täglich, in Schächten ohne Sicherung, die jeden Tag absaufen konnten. Wer nicht mit dem Schacht absoff, soff ab im Schnaps. Wen der Schnaps nicht fertigmachte, den brachten die Weiber auf den Hund. Es war schwer, sich herauszuhalten: aus den Schächten, aus den Weibern, aus dem Schnaps. Jetzt hat sich das gebessert: die Schächte sind gesichert, und die Weiber sind verheiratet. Hier im Kombinat hab ich mir noch kein Bein ausgerissen. Wenns der Bauleitung zu langsam geht, warum kommt sie nicht zu uns auf die Baustelle? Manchmal schicken sie einen Dispatcher mit Motorrad. Der kommt an in einer Staubwolke, reißt das Maul auf und fährt wieder ab in einer Staubwolke, eh wir zu Wort gekommen sind. Aber in der Versammlung reden sie uns mit Arbeiterklasse an. Wenigstens könnten sie dafür sorgen, daß es keine Wartezeiten gibt. Wir warten auf die Zeichnungen. Wir warten auf Material. Das drückt auf den Lohn. Wir wissen, was wir wert sind und machen nichts umsonst. Eh wir uns bescheißen lassen, baun wir vor: der Lohn steigt schneller als die Mauern, die Kurve schneller als die Produktion. Die Brigadiere schreiben die Norm, die wir brauchen, und der Polier drückt beide Augen zu. Es ist nicht sein Schaden. Bremer war der erste, der das nicht mitgemacht hat. Er sagte immer wieder: Das ist Betrug. Betrug kommt nicht in Frage. Er hat nicht mitgemacht, nicht für Prügel, die er gekriegt hat, und nicht für Bier, das wir ihm angeboten haben. Er ist rot bis auf die Knochen.

KURT MARTI

Neapel sehen

Er hatte eine Bretterwand gebaut. Die Bretterwand entfernte die Fabrik aus seinem häuslichen Blickkreis. Er haßte die Fabrik. Er haßte seine Arbeit in der Fabrik. Er haßte die Maschine, an der er arbeitete. Er haßte das Tempo der Maschine, das er selber beschleunigte. Er haßte die Hetze nach Akkordprämien, durch welche er es zu einigem Wohlstand, zu Haus und Gärtchen gebracht hatte. Er haßte seine Frau, sooft sie ihm sagte, heute nacht hast du wieder gezuckt. Er haßte sie, bis sie es nicht mehr erwähnte. Aber die Hände zuckten weiter im Schlaf, zuckten im schnellen Stakkato der Arbeit. Er haßte den Arzt, der ihm sagte, Sie müssen sich schonen, Akkord ist nichts mehr für Sie. Er haßte den Meister, der ihm sagte, ich gebe dir eine andere Arbeit, Akkord ist nichts mehr für dich. Er haßte so viele verlogene Rücksicht, er wollte kein Greis sein, er wollte keinen kleineren Zahltag, denn immer war das die Hinterseite von so viel Rücksicht, ein kleinerer Zahltag. Dann wurde er krank, nach vierzig Jahren Arbeit und Haß zum ersten Mal krank. Er lag im Bett und blickte zum Fenster hinaus. Er sah sein Gärtchen. Er sah den Abschluß des Gärtchens, die Bretterwand. Weiter sah er nicht. Die Fabrik sah er nicht, nur den Frühling im Gärtchen und eine Wand aus gebeizten Brettern. Bald kannst du wieder hinaus, sagte die Frau, es steht alles in Blust. Er glaubte ihr nicht. Geduld, nur Geduld, sagte der Arzt, das kommt schon wieder. Er glaubte ihm nicht. Es ist ein Elend, sagte er nach drei Wochen zu seiner Frau, ich sehe immer das Gärtchen, sonst nichts, nur das Gärtchen, das ist mir zu langweilig, immer dasselbe Gärtchen, nehmt doch einmal zwei Bretter aus der verdammten Wand, damit ich was anderes sehe. Die Frau erschrak. Sie lief zum Nachbarn. Der Nachbar kam und löste zwei Bretter aus der Wand. Der Kranke sah durch die Lücke hindurch, sah einen Teil der Fabrik. Nach einer Woche beklagte er sich, ich sehe immer das gleiche Stück der Fabrik, das lenkt mich zuwenig ab. Der Nachbar kam und legte die Bretterwand zur Hälfte nieder. Zärtlich ruhte der Blick des Kranken auf seiner Fabrik, verfolgte das Spiel des Rauches über dem Schlot, das Ein und Aus der Autos im Hof, das Ein des Menschenstromes am Morgen, das Aus am Abend. Nach vierzehn Tagen befahl er, die stehengebliebene Hälfte der Wand zu entfernen. Ich sehe unsere Büros nie und auch die Kantine nicht, beklagte er sich. Der Nachbar kam und tat, wie er wünschte. Als er die Büros sah, die Kantine und so das gesamte Fabrikareal, entspannte ein Lächeln die Züge des Kranken. Er starb nach einigen Tagen.

Das Hotel

Ich blieb nur eine Nacht in diesem Hotel. Es stand weithin sichtbar auf der Mole, und man hörte das Meer, das in bemerkenswert harmonischen Stößen kam. Ich hatte für zwei Nächte vorausbezahlt und man weigerte sich, mir das Geld zurückzugeben, als ich schon am nächsten Morgen wieder abreiste.

In diesem sonderbaren Hotel schlief man auf Leitern, über ihre oberste Stufe gekrümmt und in der Haltung, die Gehängte und Tote einnehmen, wenn man sie auf den Schultern in die Massengräber trägt. Ich hatte mich am Abend kaum auf den Boden gelegt – auf meine Frage, ob denn hier keine Betten wären, war nur spöttisch gelächelt worden –, als ich von meinen Zimmergenossen wieder hochgerissen wurde mit dem Hinweis, ich solle mich über eine Leiter hängen, wenn ich mir nicht den Tod holen wolle.

In der Nacht rutschte und zappelte ein Fischzug nach dem andern über die Dielen des Zimmers, in allen Zimmern übrigens, wie ich erfuhr, auch in den Speichern und Kellern, armlange Fische, auch Haie, die nach allem schnappten, was ihnen in die Quere kam. Ich begriff nicht, wie meine Zimmergenossen in aller Ruhe diese Tatsache überschlafen konnten, und noch weniger, daß es Leute gab, die sich für mehrere Monate hinaus in diesem Hotel eingemietet hatten, und zwar zu Preisen, die mir unverständlich hoch vorkamen.

Aber mir war seltsam zu Mute. Ich packte gleich und reiste noch in den Morgenstunden ab.

Ein Zimmer in meiner Wohnung

Es gibt ein Zimmer in meiner Wohnung das ich kaum kannte. Ich hatte sogar schon einmal mit dem Entschluß gespielt seine Tür zumauern und mit einer Tapete überziehen zu lassen. Jetzt da ich drin bin und auch nicht wieder herauskann versuche ich mich vergeblich daran zu erinnern an welcher Stelle in meiner Wohnung dies Zimmer sich befindet. Vergeblich habe ich nach einem Plan gesucht. Es gibt keinen. Oder er ist verlorengegangen. Und wenn ich mich zu erinnern meine daß dieses Zimmer ein Außenzimmer gewesen sei so widerspricht einer solchen Annahme doch alles was ich sehe und ich bin sogar versucht zu sagen es liege geradezu im Mittelpunkt meiner Wohnung (und vermauert wäre es so etwas wie ein Hohlraum geworden).

Allerdings hat das Zimmer Fenster. Fenster und auch wieder nicht möchte man sagen. Ausschnitte vielleicht genauer die an wechselnden Stellen der Wand erscheinen und wieder verschwinden. Fast wie Bilder. (Verregnete Nachmittagsstraße oder nachts eine Laternenreihe oder das Gesicht hinter einer Fensterscheibe und manche andere Dinge.)

Möglicherweise gibt es auch Türen. Habe ich sie vielleicht nur noch nicht gefunden? (Nicht einmal die durch die ich hereingekommen bin?) Während ich dasitze versuche ich mich zu erinnern wie ich hereingekommen bin. Im Grunde neige ich immer noch dazu es für einen Zufall zu halten. Das Schloß der Tür hatte sich gelockert. Die Tür war angelehnt. Ich stieß sie an. Ich zögerte. Dann ging ich hinein. Ich versuche jetzt immer zu begreifen was mich hatte zögern lassen. Es war keine Vorsicht keine Angst oder gar Ahnung. Das Zimmer übte ja Anziehungskraft auf mich aus. Eine Art Wiedersehen. Das Gefühl zurückzukehren. Auch Neugier. Dennoch hatte ich gezögert?

Ich erinnere mich daß ich Pläne machte als ich das Zimmer betrat. Von diesen Plänen ist nichts übriggeblieben. Ich weiß sogar nicht einmal mehr was für eine Art von Plänen es gewesen sein könnte. Statt dessen habe ich versucht das Zimmer zu erforschen. Ich habe es mitsamt Inventar sozusagen auswendig gelernt. Aber ich merkte daß das nicht das Richtige war. Seitdem sitze ich da und starre vor mich hin oder auf die Fensterbilder die an den Wänden erscheinen und wohl ohne daß ich die Bewegung der Zunge gefühlt habe fing ich an zu sprechen und hörte zuerst nur den Ton den unaufhörlich murmelnden lamentierenden fremden Ton der unverständlich und böse (so schien mir) überredenden Stimme die meine eigene war. Meine mir eigene fremde Stimme.

Seit ich diese Stimme höre weiß ich daß ich wie einer bin der dasselbe eingehandelt hat was er verkauft hat und der nun mit nichts als dieser Ware herauszufinden versucht was es damit auf sich hat. Der nicht weiß ob er behalten will was er nicht weggeben kann. Der immer noch glaubt Morgen wird widerlegen was Heute bewiesen hat. Der an keinen Beweis glaubt es sei denn im Ärger. Der vielleicht schon zu verübeln beginnt was zu finden doch alles war. Vor ein paar Stunden habe ich entdeckt, daß es im Zimmer einen Spiegel gibt. Offenbar habe ich ihn entdeckt weil ich wieder einmal nach Türen suchte. Ich war erschöpft. Ich blickte auf. Ich sah ein Gesicht, Ein müdes ein müde und angespannt beobachtendes Gesicht. Müde und angespannt beobachtende Augen. Einmal waren diese Augen zuversichtlich gewesen einmal waren diese Augen böse gewesen. All das war vorbeigegangen und hatte nichts geändert.

Ich erinnere mich an den Gedanken den ich faßte und es ist derselbe Gedanke den ich auch jetzt noch habe denn dies ist ein Bericht und keine Geschichte. Wenn ich je in der Lage sein werde (denke ich) dies Zimmer zu verlassen werde ich meine Wohnung aufgeben und weggehn wohin und wie immer. Ich denke dies und denke zugleich daß ich

dies Zimmer nie mehr verlassen werde auch wenn ich in
der Lage sein würde es zu verlassen sondern darinbleiben
für immer und ewig.

Variante: Als man ihn fand lag er hinter der einzigen Tür.
Sie war offen. Sie war immer offen gewesen.

PETER BICHSEL

San Salvador

Er hatte sich eine Füllfeder gekauft.

Nachdem er mehrmals seine Unterschrift, dann seine In-
itialen, seine Adresse, einige Wellenlinien, dann die Adresse
seiner Eltern auf ein Blatt gezeichnet hatte, nahm er einen
neuen Bogen, faltete ihn sorgfältig und schrieb: »Mir ist
es hier zu kalt«, dann, »ich gehe nach Südamerika«, dann
hielt er inne, schraubte die Kappe auf die Feder, betrachtete
den Bogen und sah, wie die Tinte eintrocknete und dunkel
wurde [in der Papeterie garantierte man, daß sie schwarz
werde], dann nahm er seine Feder erneut zur Hand und
setzte noch seinen Namen Paul darunter.

Dann saß er da.

Später räumte er die Zeitungen vom Tisch, überflog dabei die Kinoinserate, dachte an irgend etwas, schob den
Aschenbecher beiseite, zerriß den Zettel mit den Wellenlinien, entleerte seine Feder und füllte sie wieder. Für die
Kinovorstellung war es jetzt zu spät.

Die Probe des Kirchenchores dauert bis neun Uhr, um
halb zehn würde Hildegard zurück sein. Er wartete auf
Hildegard. Zu all dem Musik aus dem Radio. Jetzt drehte
er das Radio ab.

Auf dem Tisch, mitten auf dem Tisch, lag nun der ge-

29

faltete Bogen, darauf stand in blauschwarzer Schrift sein Name Paul.

»Mir ist es hier zu kalt«, stand auch darauf.

Nun würde also Hildegard heimkommen, um halb zehn. Es war jetzt neun Uhr. Sie läse seine Mitteilung, erschräke dabei, glaubte wohl das mit Südamerika nicht, würde dennoch die Hemden im Kasten zählen, etwas müßte ja geschehen sein.

Sie würde in den »Löwen« telefonieren.

Der »Löwen« ist mittwochs geschlossen.

Sie würde lächeln und verzweifeln und sich damit abfinden, vielleicht.

Sie würde sich mehrmals die Haare aus dem Gesicht streichen, mit dem Ringfinger der linken Hand beidseitig der Schläfe entlang fahren, dann langsam den Mantel aufknöpfen.

Dann saß er da, überlegte, wem er einen Brief schreiben könnte, las die Gebrauchsanweisung für den Füller noch einmal – leicht nach rechts drehen – las auch den französischen Text, verglich den englischen mit dem deutschen, sah wieder seinen Zettel, dachte an Palmen, dachte an Hildegard.

Saß da.

Und um halb zehn kam Hildegard und fragte: »Schlafen die Kinder?«

Sie strich sich die Haare aus dem Gesicht.

Roman

Ein Mann verliebt sich in ein Mädchen. Das Mädchen weiß, daß der Mann verliebt ist. Der Mann beschaut sich ihren Gang und ihre Beine, erkundigt sich nach ihrem Namen.

Er sagt zu seiner Frau: »Sie ist hübsch.« Und seine Frau bestätigt es. »Sie ist freundlich«, sagt er.

Wenn seine Frau lächelt, erscheint ein weißer Zahnstreifen zwischen ihren Lippen. Dann erstirbt das Lächeln und der Streifen bleibt.

Das Mädchen lächelt nicht.

Der Mann betrachtet sich im Spiegel.

In Locarno hält er es nur eine Woche aus. In der Apotheke ist eine Verkäuferin, die dem Mädchen gleicht. Sie trägt eine weiße Schürze. Nach einer weiteren Woche kehrt der Mann zurück, nicht ohne im Zug ein Gespräch mit dem Nachbar anzuknüpfen.

Inzwischen hat das Mädchen eine Stelle in London angetreten. Der Mann hört davon.

Er beschließt, im Herbst wieder nach Locarno zu reisen. Seine Frau besteht seit langem darauf, einen Fernsehapparat anzuschaffen. Man berechnet einen Kostenaufwand von etwas über tausend Franken, Antenne und Montage eingeschlossen. Im Herbst geht er nach Locarno. Wählt absichtlich ein anderes Hotel am andern Ende des Orts. In der Apotheke ist ein anderes Mädchen. Es trägt eine weiße Schürze.

Eine ernsthafte Erkrankung der Frau zwingt ihn, seinen Urlaub abzubrechen.

Man hat jetzt das Fernsehen.

Das Mädchen hat sich in London die Haare färben lassen.

Der Mann schreibt nach Jahren wieder einmal seinem Bruder in Amerika, wartet wochenlang auf Antwort.

Inzwischen ist eine andere Partei stark geworden.

Inzwischen ist es Frühling geworden.

Einmal mit Fremdsprachen angefangen, will nun das Mädchen auch noch Spanisch lernen.

In den letzten drei Wochen hat er es zwei Mal gesehen.

Die Haarfarbe enttäuschte ihn.

Jetzt wird sie nach Barcelona gehen.

Der Mann macht seine Reservation im Hotel rückgängig. Das Geschäft nimmt ihn jetzt voll und ganz in Anspruch. Man empfiehlt ihm, im Winter einmal nach Davos zu reisen. Auch für Leute, die keinen Wintersport trieben, biete Davos viele Reize und Schönheiten.

Die Frau wird ihn nach Davos begleiten.

Eine Postkarte aus Amerika liegt im Briefkasten. Der Bruder macht viele Rechtschreibefehler.

Er nimmt mit seiner Frau die Sonntagsspaziergänge wieder auf. Er bricht sich dabei einen Zweig von einem Baum.

Sein Sohn erklärt, daß er dieses Jahr seinen Urlaub im Mai nehmen wolle. Mit einem Kollegen zusammen macht er eine Reise nach Spanien.

Die Frau hat sich schon jetzt bei der Reiseagentur Prospekte von Davos geholt. »Es sind zwar alles Winterprospekte«, entschuldigt sich das Fräulein.

Braungebrannt und mit einer geschmuggelten Flasche Chartreuse kehrt der Sohn aus Spanien zurück.

PETER BICHSEL

Erklärung

Am Morgen lag Schnee.

Man hätte sich freuen können. Man hätte Schneehütten bauen können oder Schneemänner, man hätte sie als Wächter vor das Haus getürmt.

Der Schnee ist tröstlich, das ist alles, was er ist – und er halte warm, sagt man, wenn man sich in ihn eingrabe.

Aber er dringt in die Schuhe, blockiert die Autos, bringt Eisenbahnen zum Entgleisen und macht entlegene Dörfer einsam.

HORST BINGEL

Die Mäusearmee

Mit Schiffen kamen sie, zogen über die Straßen. Verhielten im Schritt, zögerten noch. Geplündert, zurückgelassen, Dörfer, links und rechts, nagten Baum um Baum, bauten Wege, schritten an hundert Stellen zugleich voran. Stromaufwärts Schiffe, die ersten Melder kehrten zurück.

Lagerten weniger fortan. Liefen bei Tag, bei Nacht, rasteten selten, nur eine Stunde. Eilten, ruhelos, eine Armee, fällten Bäume. Am Fluß Urura jedoch, nächtlich das Lager der Zelte, Pflock an Pflock gestellt, Gasse an Gasse, im Viereck geordnet der Platz, Viereck in Viereck geschachtelt. Posten davor, vor jedem Feuer nachts, sandten dennoch Spähcr nach West, nach Ost. Trupp für Trupp werkten, schleppten Hölzer zu Tal. Fällten den Wald auch hier, rollten Stamm auf Stamm zum Ufer. Rammten, stießen Pfähle ein, kamen zur Mitte des Flusses, ertranken dabei, einige. Stießen erneut zu, Pfahl an Pfahl über Kreuz gestellt, legten Stämme darauf, hatten nicht Zeit mehr, Brücken zu bauen.

Gegen Abend die Stadt. Schwarz, Wolken, dort; sie warteten. Um Mitternacht dann, ihr Netz aus Stahl, zogen es hin und her, zogen das Netz über die Stadt, glitzernd, sich spiegelnd im Schein des Lichts. Schlugen Anker ein, hämmerten, Eisen und Stahl. An Seilen, von der Kuppel des Netzes, vom Rand, hier, dort, dort, Seil neben Seil, verdunkelten den Himmel. Windstill die Nacht, als die Mäuse sich herabließen. Krochen dann, aufgerückt, dicht, endlos die Kette, schweigend. Straßen, Rathaus, Kasernen, Flugplatz umstellt, zwei, drei Maschinen, die noch aufstiegen, im Wald der Seile verfangen, umschlungen, kopflastig, stürzten wie Käfer ab.

Drängen, Stoßen, Ketten, Flüche, immer und überall die Ketten der Mäuse, auf den Dächern, zu den Fenstern herein, oben, unten, oben, dichter die Seile, schwärzer der Himmel, Mäuse neben Mäuse, bissen sich, traten, suchten Platz, stürmten die letzten Türen, weiter, werkten, wühlten, weiter noch, eine Woche lang. Verließen schweigend die tote Stadt, zogen das Netz ein, lagerten.

Abermals Kolonnen zum nahen Fluß, den Wäldern. Schleppten Holz, schnitten Schilf, schichteten Stapel auf Stapel, bauten wieder, heftiger, schneller, runde und ovale Wagen: geflochtene Körbe, Dächer darüber von Weiden, zogen die kleinen Wagen, Maus neben Maus wieder, scheinbar endlos der Zug, Wagen, Mäuse, Seile, Wagen, karrten die Bomben und Gewehre aus der Stadt fort.

Lagerten jeden Abend, trafen am vierten Tag auf eine zweite Mäusearmee. Schlugen die Zelte auf. Standen am Mittag sich gegenüber: zwei Armeen, Maus neben Maus. Nahmen die Generale gefangen.

Helga M. Novak

Eis

Ein junger Mann geht durch eine Grünanlage. In einer Hand trägt er ein Eis. Er lutscht. Das Eis schmilzt. Das Eis rutscht an dem Stiel hin und her. Der junge Mann lutscht heftig, er bleibt vor einer Bank stehen. Auf der Bank sitzt ein Herr und liest eine Zeitung. Der junge Mann bleibt vor dem Herrn stehen und lutscht.

Der Herr sieht von seiner Zeitung auf. Das Eis fällt in den Sand.

Der junge Mann sagt, was denken Sie jetzt von mir?

Der Herr sagt erstaunt, ich? Von Ihnen? Gar nichts.

Der junge Mann zeigt auf das Eis und sagt, mir ist doch eben das Eis runtergefallen, haben Sie da nicht gedacht, so ein Trottel?

Der Herr sagt, aber nein. Das habe ich nicht gedacht. Es kann schließlich jedem einmal das Eis runterfallen.

Der junge Mann sagt, ach so, ich tue Ihnen leid. Sie brauchen mich nicht zu trösten. Sie denken wohl, ich kann mir kein zweites Eis kaufen. Sie halten mich für einen Habenichts. Der Herr faltet seine Zeitung zusammen. Er sagt, junger Mann, warum regen Sie sich auf? Meinetwegen können Sie soviel Eis essen, wie Sie wollen. Machen Sie überhaupt, was Sie wollen. Er faltet die Zeitung wieder auseinander.

Der junge Mann tritt von einem Fuß auf den anderen. Er sagt, das ist es eben. Ich mache, was ich will. Mich nageln Sie nicht fest. Ich mache genau, was ich will. Was sagen Sie dazu?

Der Herr liest wieder in der Zeitung,

Der junge Mann sagt laut, jetzt verachten Sie mich. Bloß, weil ich mache, was ich will. Ich bin kein Duckmäuser. Was denken Sie jetzt von mir?

Der Herr ist böse.

Er sagt, lassen Sie mich in Ruhe. Gehen Sie weiter. Ihre Mutter hätte Sie öfter verhauen sollen. Das denke ich jetzt von Ihnen.

Der junge Mann lächelt. Er sagt, da haben Sie recht.

Der Herr steht auf und geht.

Der junge Mann läuft hinterher und hält ihn am Ärmel fest. Er sagt hastig, aber meine Mutter war ja viel zu weich. Glauben Sie mir, sie konnte mir nichts abschlagen. Wenn ich nach Hause kam, sagte sie zu mir, mein Prinzchen, du bist schon wieder so schmutzig. Ich sagte, die anderen haben nach mir geworfen. Darauf sie, du sollst dich deiner Haut wehren. Laß dir nicht alles gefallen. Dann ich, ich habe angefangen. Darauf sie, pfui, das hast du nicht nötig. Der Stärkere braucht nicht anzufangen. Dann ich, ich habe gar nicht angefangen. Die anderen haben gespuckt. Darauf sie, wenn du nicht lernst, dich durchzusetzen, weiß ich nicht, was aus dir werden soll. Stellen Sie sich vor, sie hat mich gefragt, was willst du denn mal werden, wenn du groß bist? Neger, habe ich gesagt. Darauf sie, wie ungezogen du wieder bist.

Der Herr hat sich losgemacht.

Der junge Mann ruft, da habe ich ihr was in den Tee getan. Was denken Sie jetzt?

Günter Eich
Nathanael

Meinen Schulterreiter sieht niemand. Er hat knochenlose schlangenartige Beine und zieht sie um meinen Hals zusammen, wenn ich etwas tue, was er nicht will. Deshalb gehe ich nie ins Theater.

Es klingelte eines Tages und er lag vor der Tür. Heb mich auf, jammerte er, und flugs, man könnte sagen jach, saß er auf meiner Schulter, als ich mich bückte.

In Tausendundeiner Nacht ist ein Verfahren angegeben, wie man Schulterreiter loswerden kann. Man betrinkt sich und macht ihn neidisch, er will auch trinken, dann wirft man ihn ab. Aber wir sind beide zu Säufern geworden ohne daß er den muskulösen Druck um meinen Hals gelockert hätte. Wir singen zusammen und haben den gleichen cafard. Oh schnöde Welt, sagt er und zieht die Beine noch fester an. Wenn du mich fallen läßt, kriegst du Atemnot, ich kenne deine alten Tricks.

Er behauptet, er hieße Nathanael, und hat mir das Du angeboten. Aber ich rede ihn mit Er an, wie der alte Fritz seinen Müller. Will er nicht absteigen, ich muß jetzt durch lauter niedrige Türen. Aber er kichert bloß, Türen machen ihm nichts. Renne ich gegen Mauern, tue ich mir nur selber weh. Gut zureden nützt nichts, er hat kein moralisches Empfinden. Zweimal zwei ist fünf, sagt er, wenn er mir im Büro über die Schulter sieht, und bringt mich in Verlegenheit. Ich muß alles falsch machen, sonst würgt er mich.

Wie lange bleibt er? frage ich möglichst unbefangen. Ich habe hier einen guten Überblick, sagt er, du bist einssiebenundneunzig. Soll ich stolz darauf sein, daß ich ihm am besten gefalle? Ich suche die Gesellschaft großer Menschen. Der da ist zwei Meter fünf, sage ich. Nein, sagt er, der ist nicht richtig. Wieso bin ich richtig? Ich hoffe, du wirst es nie merken, sagt Nathanael, schließt die Augen und gähnt. Will er jetzt schlafen? Mach dir keine Hoffnungen, sagt er.

Günter Eich
Eiwa

Zu Theodor sagte ich Eiwa. Und ein paar Jahre später habe ich den Kaiser auf der Schwebebahn gesehen, ich als einziger. Ich war auf der Toilette geblieben, als die Station geräumt wurde. Dann hörte ich den Extrazug, kam harmlos heraus und sah ihn ganz nahe. Der Kaiser war blaß. Es war die erste Fahrt. Theodor war mein Vetter, aber Theodor konnte ich nicht aussprechen. Zum Stationsvorsteher sagte ich: Meinen Sie denn, daß ich ihm was tue? Ich habe die englische Krankheit gehabt, kann schlecht gehen. Sie waren schon fort, Richtung Vohwinkel.

Günter Eich
Bandabfall

Immer in der Landwirtschaft gewesen, aber zu unruhig. Das frühe Aufstehen war das beste, so wie heute, ist gut.

Und sonst?

Die Welt? Ach das kennt man. Der Hahn des Nachbars und die Henne der Nachbarin. Sagt man bei uns.

Was?

Die haben sie gemacht.

So?

Vielleicht eine üble Nachrede, oder?

Vier Uhr dreißig.

Da ging man in die Stiefel, jeden Morgen. Aber wenn sies waren, man wundert sich nicht.

WOLF WONDRATSCHEK

Mittagspause

Sie sitzt im Straßencafé. Sie schlägt sofort die Beine übereinander. Sie hat wenig Zeit.

Sie blättert in einem Modejournal. Die Eltern wissen,
daß sie schön ist. Sie sehen es nicht gern.

Zum Beispiel. Sie hat Freunde. Trotzdem sagt sie nicht,
das ist mein bester Freund, wenn sie zu Hause einen
Freund vorstellt.

Zum Beispiel. Die Männer lachen und schauen herüber
und stellen sich ihr Gesicht ohne Sonnenbrille vor.

Das Straßencafé ist überfüllt. Sie weiß genau, was sie
will. Auch am Nebentisch sitzt ein Mädchen mit Beinen.

Sie haßt Lippenstift. Sie bestellt einen Kaffee. Manchmal
denkt sie an Filme und denkt an Liebesfilme. Alles muß
schnell gehen.

Freitags reicht die Zeit, um einen Cognac zum Kaffee zu
bestellen. Aber freitags regnet es oft.

Mit einer Sonnenbrille ist es einfacher, nicht rot zu werden. Mit Zigaretten wäre es noch einfacher. Sie bedauert,
daß sie keine Lungenzüge kann.

Die Mittagspause ist ein Spielzeug. Wenn sie nicht ange-
sprochen wird, stellt sie sich vor, wie es wäre, wenn sie ein
Mann ansprechen würde. Sie würde lachen. Sie würde eine
ausweichende Antwort geben. Vielleicht würde sie sagen,
daß der Stuhl neben ihr besetzt sei. Gestern wurde sie ange-
sprochen. Gestern war der Stuhl frei. Gestern war sie froh,
daß in der Mittagspause alles sehr schnell geht.

Beim Abendessen sprechen die Eltern davon, daß sie
auch einmal jung waren. Vater sagt, er meine es nur gut.
Mutter sagt sogar, sie habe eigentlich Angst. Sie antwortet,
die Mittagspause ist ungefährlich.

Sie hat mittlerweile gelernt, sich nicht zu entscheiden. Sie ist ein Mädchen wie andere Mädchen. Sie beantwortet eine Frage mit einer Frage.

Obwohl sie regelmäßig im Straßencafé sitzt, ist die Mittagspause anstrengender als Briefeschreiben. Sie wird von allen Seiten beobachtet. Sie spürt sofort, daß sie Hände hat.

Der Rock ist nicht zu übersehen. Hauptsache, sie ist pünktlich.

Im Straßencafé gibt es keine Betrunkenen. Sie spielt mit der Handtasche. Sie kauft jetzt keine Zeitung.

Es ist schön, daß in jeder Mittagspause eine Katastrophe passieren könnte. Sie könnte sich sehr verspäten. Sie könnte sich sehr verlieben. Wenn keine Bedienung kommt, geht sie hinein und bezahlt den Kaffee an der Theke.

An der Schreibmaschine hat sie viel Zeit, an Katastrophen zu denken. Katastrophe ist ihr Lieblingswort. Ohne das Lieblingswort wäre die Mittagspause langweilig.

Wolf Wondratschek

Aspirin

Sie hat ein schönes Gesicht. Sie hat schöne Haare. Sie hat schöne Hände. Sie möchte schönere Beine haben.

Sie machen Spaziergänge. Sie treten auf Holz. Sie liegt auf dem Rücken. Sie hört Radio. Sie zeigen auf Flugzeuge. Sie schweigen. Sie lachen. Sie lacht gern.

Sie wohnen nicht in der Stadt. Sie wissen, wie tief ein See sein kann.

Sie ist mager. Sie schreiben sich Briefe und schreiben, daß sie sich lieben. Sie ändert manchmal ihre Frisur.

Sie sprechen zwischen Vorfilm und Hauptfilm nicht miteinander. Sie streiten sich über Kleinigkeiten. Sie umarmen sich. Sie küssen sich. Sie leihen sich Schallplatten aus.

Sie lassen sich fotografieren. Sie denkt an Rom. Sie muß im Freibad schwören, mehr zu essen.

Sie schwitzen. Sie haben offene Münder. Sie gehen oft in Abenteuerfilme. Sie träumt oft davon. Sie stellt sich die Liebe vor. Sie probiert ihre erste Zigarette. Sie erzählen sich alles.

Sie hat Mühe, vor der Haustür normal zu bleiben. Sie wäscht sich mit kaltem Wasser. Sie kaufen Seife. Sie haben Geburtstag. Sie riechen an Blumen.

Sie wollen keine Geheimnisse voreinander haben. Sie trägt keine Strümpfe. Sie leiht sich eine Höhensonne. Sie gehen tanzen. Sie übertreiben. Sie spüren, daß sie übertreiben. Sie lieben Fotos. Sie sieht auf Fotos etwas älter aus.

Sie sagt nicht, daß sie sich viele Kinder wünscht.

Sie warten den ganzen Tag auf den Abend. Sie antworten gemeinsam. Sie fühlen sich wohl. Sie geben nach. Sie streift den Pullover über den Kopf. Sie öffnet den Rock.

Sie kauft Tabletten. Zum Glück gibt es Tabletten.

Wolf Wondratschek

43 Liebesgeschichten

Didi will immer. Olga ist bekannt dafür. Ursel hat schon dreimal Pech gehabt. Heidi macht keinen Hehl daraus.

Bei Elke weiß man nicht genau. Petra zögert. Barbara schweigt.

Andrea hat die Nase voll. Elisabeth rechnet nach. Eva sucht überall. Ute ist einfach zu kompliziert.

Gaby findet keinen. Sylvia findet es prima. Marianne bekommt Anfälle.

Nadine spricht davon. Edith weint dabei. Hannelore

lacht darüber. Erika freut sich wie ein Kind. Bei Loni könnte man einen Hut dazwischenwerfen.

Katharina muß man dazu überreden. Ria ist sofort dabei. Brigitte ist tatsächlich eine Überraschung. Angela will
nichts davon wissen.

Helga kann es.

Tanja hat Angst. Lisa nimmt alles tragisch. Bei Carola,
Anke und Hanna hat es keinen Zweck.

Sabine wartet ab. Mit Ulla ist das so eine Sache. Ilse kann
sich erstaunlich beherrschen.

Gretel denkt nicht daran. Vera denkt sich nichts dabei.
Für Margot ist es bestimmt nicht einfach.

Christel weiß, was sie will. Camilla kann nicht darauf
verzichten. Gundula übertreibt. Nina ziert sich noch. Aria-
ne lehnt es einfach ab. Alexandra ist eben Alexandra.

Vroni ist verrückt danach. Claudia hört auf ihre Eltern.
Didi will immer.

Marie Luise Kaschnitz

Traum

Das Empörende war, daß ich mich zwischen all diesen
Operationen (mindestens fünf, an verschiedenen Organen,
aber alle an demselben Tage ausgeführt), nicht ins Bett legen durfte, ja zu Fuß das nächste, das für die nächste Operation vorgesehene Spital aufsuchen mußte. Die Wunden
waren schlecht verbunden und bluteten, das Blut tropfte
aufs Straßenpflaster, was mir, obwohl niemand darauf ach-
tete, außerordentlich peinlich war. Ich hatte ein starkes
Gefühl von Vernachlässigung und war so schwach wie ich
es in wachem Zustand nie gewesen bin. Wie ich so von Laternenpfahl zu Laternenpfahl wankte, war die Kühle des
Eisens an Stirn und Wange der einzige Trost.

MARIE LUISE KASCHNITZ

Theaterplatz

Der des Mordes Verdächtige aber nicht Überführte wurde,
in einer der letzten Ruinen der Stadt versteckt, mit sechs-
hundert Kugeln beschossen, sogar Panzerwagen fuhren
auf. Er schoß zurück und traf einen Polizeihund, den man
später fotografierte. Von dem Belagerten hieß es, daß er sich
am Ende selbst das Leben genommen habe. Noch mehrere
Tage lang fuhren die Wagen an dieser Stelle langsam, blieben die Passanten stehen und starrten zu der durchlöcher-
ten Hauswand hinauf. Es ist gut so, hörte man einen sagen,
er war noch jung, jeder Tag Zuchthaus kostet soundso viel,
und lebenslänglich, rechnen Sie das mal aus, wer hätte es
zahlen müssen, wir.

MARIE LUISE KASCHNITZ

E. Z.

Eine Frau besucht das Einkaufszentrum in der Trabanten-
stadt, die graue Festung, die das Warenangebot gegen seine
Verächter verteidigt, auf mehreren Ebenen, hinter riesigen Glasscheiben, wohnt schöner, ißt besser, zieht euch
kostbarer an. Die Frau geht an allem vorüber, bleibt aber
stehen, wo die Steine liegen, große Steine auf der glatten
Terrasse, Findlinge, unsymmetrisch, rissig, von schwärz-
lichem Grün. Etwas aus der Wildnis, aus den Dobeln, wo
Wasser stürzt, hingelegt vor zarte Tüllgehänge, glitzern-
de Möbelstoffe, etwas Unnützes, Unordentliches, und
einer der Steine, von Kinderfüßen in Bewegung gesetzt,
schaukelt sogar. Die Frau möchte einen Brief schreiben, to

whom it may concern, sie möchte den Mann umarmen, der auf den Gedanken gekommen ist. Sie geht nicht mehr weiter, bleibt, in einem Haufen von Kindern, stehen, betastet die Steine, umarmt sie, beleckt sie, und die Leute, die auf die Riesenschaufensterscheiben zusteuern, tippen sich an die Stirn.

Marie Luise Kaschnitz
Schwester – Schwester

Du bist jetzt acht Jahre tot, sage ich zu meiner Schwester, willst du wissen, was inzwischen geschehen ist? Nein, sagt meine Schwester. Gut, sage ich, dann erzähle ich es dir. Der Vietnamkrieg ist noch immer nicht zu Ende. Das war vorauszusehen, sagt meine Schwester. Noch immer, sage ich, hat man kein Mittel gegen den Krebs gefunden. An irgend etwas muß man sterben, sagt meine Schwester. Es gibt jetzt, sage ich, Flugzeuge, in denen fünfhundert Menschen Platz haben und die in wenigen Stunden von Europa nach Amerika fliegen. Das interessiert mich nicht, sagt meine Schwester. Alle Rechnungen, sage ich, werden von den Computern ausgeführt. Sie speichern alles Wissen der Welt und man kann ihnen Fragen stellen. Das verstehe ich nicht, sagt meine Schwester. Du hast doch Jura studiert, sage ich. Vielleicht interessiert es dich, daß die Angeklagten vor den Richtern nicht mehr aufstehen und daß die Zeugen den Gerichtssaal verunreinigen. Das verurteile ich, sagt meine Schwester. Vielleicht, sage ich, möchtest du auch wissen, daß Eltern heutzutage die größte Mühe haben, ihre Kinder zu erziehen. Daß sie von ihnen nichts als freche Antworten und sogar Schläge bekommen. Das geschieht ihnen recht, sagt meine Schwester. Man ist, sage ich, vor kurzem um den Mond geflogen. Man hat von dort Aufnahmen gemacht und auf diesen Aufnahmen war die Erde blau wie ein Saphir. Das hätte ich gern gesehen, sagt meine Schwester.

Günter Bruno Fuchs
Geschichte aus der Großstadt

für Günter Eich

Nachts geht der Hund über die Straße. Spaziert. Beide Augen sehen.

Weißt du, sagt ein Fenster zum Hund, mal hast du die Geschichte *Wau* erzählt. In der Nacht eine gute Geschichte. Und du hast, das weiß ich, etwas für dich behalten.

Günter Kunert
Ballade vom Ofensetzer

Wie flink seine Hände, wie elegant sein Griff in den Lehm! Wie bewundernswert die kühne Sicherheit, mit der Albuin Kachel auf Kachel fügte, welche im Geviert um ihn, den fleißigen Ofensetzer, geschwind aufsteigen, bis er Mühe hat, das Bein über eine der brüstungshohen Wände des halbfertigen Wärmeturmes zu heben und auszusteigen. Von außen dann vollendet er seine Arbeit, die darin gipfelt, daß unter einem sanft geführten Lappen der Glanz der Lasur leuchtend aufstrahlt.

Einmal verpaßte er den Moment des Aussteigens, versunken ins eigene Werk, blind von Schöpfertum. Der Ofen wächst und wächst. Und als Albuin die Platte zu seinen Häupten einsetzt und überraschend Dunkelheit ihn umfängt, da erst erlischt der Schaffensrausch, da erst merkt der Ofensetzer, was ihm geschehen ist.

Schon klingen draußen Schritte auf: Der Meister mit einigen Gesellen steht vor Albuins Werk, das sie neidvoll bewundern, wie der Gefangene hört: Was für ein herrlicher Ofen! Über alle Maßen maßgerecht gefügt! Beim bloßen Anschauen wird einem warm ums Herz!

Albuin geniert sich, seine Anwesenheit innerhalb der eigenen Schöpfung laut werden zu lassen, doch die anderen entdecken ihn sogleich, als einer probehalber die Feuerklappe öffnet.

Die Stimmen schweigen. Endlich ruft ihn der Meister an, traurigen Tones und kläglich fragend, was nun eigentlich werden solle? Albuin will antworten, da beginnen die Gesellen, laut und eindringlich diesen außerordentlich gelungenen Hitzespender zu preisen; wahrscheinlich Albuins bestes Stück, das er kaum werde übertreffen können. Solle man dieses etwa abreißen?

Die Huldigung verklebt Albuin die Lippen. Ehe er sie aufbekommt, wird draußen bereits gefragt, ob er denn nicht die Menschen liebe: im Allgemeinen und im Besonderen jene, die morgen in diese Wohnung hier einzögen, und die ein augenblicklicher Ofenabriß dem Frost auslieferte und damit Krankheit, Not und Tod.

So ist es! dröhnt die Stimme des Meisters: Genauso ist es! Willst du das, Albuin? Bist du so einer, der das will?!

Bevor Albuin eine Erwiderung einfällt, kniet der Meister vor dem Ofen und flüstert ins Feuerloch: Ob Albuin außerdem die Schande bedenke, falls bekannt würde, die Ofensetzer seien derart unfähig, daß sie wieder zerstörten, was sie eben erst errichtet? Die Gilde könne sofort die Stadt verlassen. Hier gäbe es keine Arbeit mehr für sie. Willst du das, Albuin?

Während Albuin noch überlegt, was er nun wirklich wolle, und ob er tatsächlich so einer sei, wie man draußen fürchtet, fühlt er, wie sich Knüllpapier um seine Knöchel häuft. Holzstücke schieben sich kratzend zwischen Hosenbein und Haut. Das Raunen außerhalb der dämpfenden Kachel erhebt sich zum schallenden Lob Albuins, des großen Ofensetzers, des uneigennützigen, dessen eigene Kehle dagegen nicht aufkommt. Dieses und jenes zusammen übertönen das schwache Schnappen eines Feuerzeuges, das helle Knistern und alles weitere, das nicht ahnt, wer in diesem Zimmer hausen wird, gut gewärmt und fröhlich gestimmt durch das anheimelnde Geräusch, welches ein kräftig flackerndes Feuer hervorbringt.

Thomas Bernhard
Fast

Auf unserem letzten Ausflug in das Mölltal, in welchem wir, glich in welcher Jahreszeit, immer glücklich gewesen sind, haben wir uns in einem Wirtshaus in Obervellach, das uns von einem Arzt aus Linz empfohlen worden war und das uns nicht enttäuscht hatte, mit einer Gruppe von Steinmetzgehilfen unterhalten, die nach Feierabend in dem Wirtshaus zusammengesessen sind und Zither gespielt und gesungen und uns auf diese Weise wieder auf die unerschöpflichen Schätze der Kärntner Volksmusik aufmerksam gemacht haben. Zu vorgerückter Stunde hatte sich die Steinmetzgehilfengruppe an unseren Tisch gesetzt und jeder einzelne aus ihr hat etwas *Merk*würdiges oder etwas *Denk*würdiges aus seinem Leben zum besten gegeben. Dabei ist uns besonders jener Steinmetzgehilfe aufgefallen, der berichtet hat, daß er mit siebzehn Jahren, um eine mit einem Arbeitskollegen abgeschlossene Wette zu gewinnen, auf die bekanntlich sehr hohe Kirchturmspitze in Tamsweg gestiegen ist. *Fast* wäre ich tödlich abgestürzt, hat der Steinmetzgehilfe gesagt und er betonte darauf ausdrücklich, daß er dadurch *fast* in die Zeitung gekommen wäre.

Thomas Bernhard
Frühzug

Im Frühzug sitzend schauen wir genau dann aus dem Fenster, wenn wir die Schlucht passieren, in welche vor fünfzehn Jahren unsere Schülergruppe gestürzt ist, mit welcher wir eine Exkursion zum Wasserfall unternommen hatten und denken daran, daß wir damals gerettet, die andern aber für immer getötet worden sind. Die Lehrerin, die damals unsere Gruppe zum Wasserfall führen wollte, hatte sich unmittelbar nach dem Urteilsspruch vor dem Landesgericht Salzburg, der auf acht Jahre Kerker lautete, erhängt gehabt. Wenn der Zug die Stelle passiert, hören wir in dem Schreien der Gruppe auch unsere eigenen Schreie.

Brigitte Kronauer
Eine kleine Lebensgeschichte

Hat das hier jetzt, in diesem Augenblick, angefangen? Was sonst! Gibt es kein Motto? Sicher, aber darf ein Vorspruch so lang sein wie dieser? Dann lautet er so:

»Es geschah an einem Sommertag. Ich stand schon morgens um sieben Uhr auf, denn ich wollte in den Park gehen. Nun, als ich im Park war, setzte ich mich auf eine Bank und las ein Buch. Plötzlich setzte sich ein Junge neben mich hin. Er schaute mich immer an und ich ihn auch. Dann stand ich auf und ging zur nächsten Bank und habe mich hingesetzt. Der Junge kam mir immer nach. Er rutschte immer näher zu mir und hat den Arm um die Bank getan. Dann sagte er plötzlich zu mir: ›Na, Süße!‹ Ich war ganz verdutzt und habe gelacht. Darauf sagte ich: ›Na, Süßer!‹ So haben wir uns kennengelernt. Als ich dann 18 Jahre alt war und er 20 Jahre, hat er mich öfter zum Kino und zum Essen eingeladen.«

Das hat Isolde Zils geschrieben, mit Bleistift, aber in Druckbuchstaben, vor einem Jahr, da war sie gerade zwölf.

Und jetzt? Jetzt ist plötzlich viel los. Überall geschieht was, es ist Sonntag, Familien sind massenhaft unterwegs, sind aufgesprungen vom Frühstückstisch, von der Kaffeetafel und losgerauscht. Naturhügel sausen sie herunter auf einer Rutschbahn, Frauen in Kostümen, Steuerknüppel zwischen den Knien, 780 m in Kunststoffrinnen, immer kurvig bergab. In Waschbottichen tuckern sie über neue Seen, Krokodile, auf- und untertauchend in Minutenrhythmus neben sich. In ausgehöhlten Baumstämmen brausen sie jubelnd auf Wildwasserbahnen, dicke, spendierfreudige Väter, sie wühlen und drängen sich in die Ereignisse, und so jung dabei! Ja, blutjunge Väter in Lederjacken wandern bedächtig und applaudierend durch Klein-Berlin, ein niedliches Wunder, so anschaulich, nicht so groß wie das echte, aber so, wie es früher war, und ganz. Eine Dorfjunge vor Trögen und Karren der Hazienda aus Mexiko, staunend und eilig, dann drüben die finnische Floßfahrt, diese Jungens mit roten Schlafbacken, diese taumelnden Mädchen. Weltreisen werden in Gondeln zurückgelegt. Wie pausenlos lustig ist das alles und kostet was, so gedrängt alles, hier das Südseeparadies, bunt wie ein Faschingslokal, und dort schon, ein Sprung nur, das steile Minarett und der bollernde Planwagen für die kleine Prärie!

Aber jetzt etwas anderes. Da, was ist aus Isolde Zils geworden, jetzt, nachdem die Hauptereignisse stattgefunden haben in den Cowboystädten am Nachmittag? Ja, kann sie denn nicht ihren Aufsatz weitergeschrieben haben, in der Zwischenzeit, die jetzt überbrückt und durchstanden und vertrieben ist? Dieser Anfang, dieser Aufsatz, diese Lebensgeschichte?: Das ist schon nicht aus den Augen verloren worden, niemand hat hier einen Faden fallen lassen. Es kommt noch, wie es muß:

»Dann wurde ich mittlerweile 20 Jahre alt und er 22. Wir haben uns entschlossen, zu heiraten, das haben wir auch gemacht. Wir kriegten zwei Kinder, einen Jungen und ein Mädchen. Und so ging es weiter, bis er auf einmal fremdging. Als ich es zu erfahren bekommen hatte, ließ ich mich scheiden, ich bekam den Jungen und er das Mädchen. Dann hatte ich wieder von vorn angefangen, und er (ich weiß nicht) vielleicht auch. Für mich war er eine Null, als er sich scheiden ließ.«

So fuhr sie nämlich fort, in einem Zug, am gleichen Tag hat sie das runtergeschrieben, ohne aufzukucken. Und? Ist er kannt worden, wie es sich aufeinanderreimt? War das befriedigend? Gut? Sehr Gut?

Die Maus

Es war einmal ein Mädchen, das hieß Eva und war zehn Jahre alt. Evas Eltern sagten:

»Eva kriegt alles, was sie braucht, und Eva soll einmal etwas werden.«

Darum wurde Eva gut erzogen, und sie hatte alles, was sie brauchte.

Eines Abends, als der Vater das Licht löschte und gute Nacht sagte, sagte Eva:

»Ich wollte, ich wäre eine Maus!«

Der Vater lachte ein wenig und sagte: »Schlaf jetzt, morgen ist auch ein Tag!«

Aber Eva erhob sich im Bett und sagte:

»Eine dicke, böse Maus will ich sein!«

Der Vater sagte: »Ja, ja, schon gut«, und löschte das Licht in Evas Zimmer.

Die Eltern saßen vor dem Fernseher und sahen sich einen Film an, in dem es ziemlich laut zuging. So hörten sie das Knabbern an der Tür des Fernsehzimmers nicht.

Am nächsten Morgen wollte Evas Mutter das Fernsehzimmer auslüften. Als sie den Raum betrat, stieß sie mehrere Schreie aus. Sämtlichen Möbeln waren die Füße abgefressen, und der Boden war übersät mit Raspelholz. Die Lederpolster der Stahlmöbel waren zerfressen, von den Zimmerpflanzen lagen verwelkende Reste umher, die Vorhänge hingen in Fetzen von den Fensterrahmen, aus dem Spannteppich waren runde Löcher herausgefressen, die Mahagoniwand drohte umzustürzen. In der Tür war ein armdickes Loch, wie auch in der Türe von Evas Zimmer.

Die Mutter eilte zu Eva hinein – Eva schlief ruhig. Bei ihr war außer dem Loch in der Tür nichts passiert.

Die Mutter rief ihren Mann an. Dieser kam sofort nach Hause, er war ein wenig entsetzt und verfügte, daß umgehend eine neue Einrichtung bestellt würde. Er rief die Versicherung an.

Während des Abendessens suchte der Vater in Evas Gesicht etwas. Eva sah ihm unbeteiligt in die Augen – dem Vater blieb nichts anderes als weiterzuessen. Die Mutter hatte keinen Appetit.

Als die Mutter in Evas Zimmer das Licht löschte und dem Mädchen eine gute Nacht wünschte, sagte Eva:

»Ich bin eine dicke, böse Maus!«

Die Mutter befühlte Evas Stirn und meinte beruhigen zu müssen.

Am andern Morgen war das Wohnzimmer hin.

Nun wachten nachts die Eltern abwechslungsweise bei Eva. Als die Mutter dabei einmal einschlief, war am nächsten Morgen fast die ganze Wohnung ruiniert. Nur die Betten Evas und der Eltern blieben unversehrt.

Zu den Verheerungen brachte man aus Eva nichts heraus. Nur am Abend, bevor sie einzuschlafen schien, sagte sie:

»Ich bin eine dicke, böse Maus!«

Man brachte Eva in eine Anstalt.

Sie ließ alle Untersuchungen widerstandslos geschehen. Die Ärzte fanden nichts. Die Eltern waren verzweifelt.

Eines Morgens war Evas Zimmer leer. Ihre Tür war verschlossen, aber einige Zentimeter über der Schwelle befand sich ein armdickes Loch, und der Fußboden war voll Raspelholz. Die Ärzte fanden das interessant.

Einige Tage später wurde die halbe Anstalt verwüstet. Von der Maus keine Spur. Das heißt, alle nahmen an, daß es eine dicke, böse Maus gewesen war, die die Einrichtung kurz und klein gefressen hatte.

Eva blieb verschwunden. Den Ärzten schien die Sache nicht mehr so interessant, sondern ein Rätsel. Die Eltern ließen sich scheiden, verkauften die Wohnung und zogen weg.

Das ist zehn Jahre her.

Letzthin traf ich Eva. Offensichtlich sind ihre Papiere in Ordnung. Sie arbeitet in einem großen Konzern, an einem gediegenen Bürotisch, inmitten von Telefonen und Apparaten.

Ihre Augen sagen wenig. Die Zähne tragen Jacket-Kronen. Sie hat eine gute Figur.

In Evas Büro ist nichts aus Holz oder Stoff oder Leder; nur verchromter Stahl und Kunststoff.

Sie sagte: »Diesen Raum habe ich selber eingerichtet.«

Dabei lächelte sie resigniert, und die Bewegungen ihrer Hände schienen ein wenig müde.

Ihre Wohnung kenne ich noch nicht.

Anja Tuckermann

Am Bahnhof Zoo

Noch 30 Minuten und es ist Dezember Dezember bedeutet dunkel bedeutet Winter Kälte leckt die Beine hinauf die Schuhsohlen sind immer zu dünn wenn man steht noch 26 Minuten die Wärme versammelt sich woanders zieht ihre Reserven aus den Füßen ab färbt die Wangen rosa du kommst wann kommst du noch 23 Minuten diese Uhr hat keinen Sekundenzeiger alle Gedanken beschäftigen sich mit der Uhr die die Minuten fallen läßt eine nach der andern noch 14 und wenn du nicht im Zug bist und wenn du mich nicht siehst und fortgehst und wenn du dich nicht freust und wenn ich zerspringe bevor der Zug einfährt Dezember bedeutet der Himmel liegt auf den Grasspitzen hängt bis an die Bordsteinkanten die Augenlider kämpfen gegen den Nebel bedeutet die Arme sind krumm denn die Hände verkriechen sich in den Jackenärmeln noch 1 Minute dann kommt der Zug nicht schon 1 Minute die Uhr wirft die Minuten mir vor die Füße eine nach der anderen schon 9 die Wangen frösteln ich zerspringe nicht ich klirre und

53

wenn der Zug nicht kommt schon 16 Minuten und wenn du
vorher an einem anderen Bahnhof aussteigst und wenn du
überhaupt nicht in den Zug eingestiegen bist hast du es dir
anders überlegt kommst du wer wärmt mir die Haut weich?

LINUS REICHLIN

Einseitig

Eine junge Frau erhängte sich in ihrer Zelle mit dem Kabel
eines Tauchsieders, aber das ist eine einseitige Darstellung.
Richtig ist, daß ihr Tee während des 9stündigen Dauerver-
hörs kalt geworden war und der Wärter ihr zum Aufwär-
men den Tauchsieder überließ, an dessen Kabel die junge
Frau sich erhängte, aber das ist wiederum eine einseitige
Darstellung. Richtig ist, daß die Frau keinen Tee mehr trinken wollte oder konnte, nachdem man sie durch gefälschte
Briefe verunsichert, durch die fortgesetzte Nötigung, gegen
ihren Freund auszusagen, geschwächt und zu guter Letzt
durch den Ratschlag, sie solle sich doch aufhängen, dazu
gebracht hatte, den Tauchsieder nicht zum Wärmen des
Tees zu gebrauchen, sondern um sich daran aufzuhängen,
am Kabel des Tauchsieders, den der Wärter ihr gab, aber
das ist einseitig dargestellt.

Richtig ist, daß er ihn ihr aus Mitleid gab. Dann war ihr
aber nicht ums Trinken zumute, auch wegen des Briefs
nicht, in dem ihr Freund anonym der Untreue bezichtigt
wurde und der, wie ein Journalist herausfand, von einem
Verwandlungskünstler der Polizei gefälscht worden war,
aber das ist die himmeltraurigste aller einseitigen Darstel-
lungen. Richtig ist, daß der Journalist wegen einseitiger
Darstellung von seiner Zeitung entlassen würde, und richtig ist ferner, daß die Wahrheit immer einseitig ist, selbst
wenn man die Mörder auch zu Wort kommen läßt.

Mädchen mit Zierkamm

Es ist Mittag, und sie sonnt sich in der kleinen Anlage vor der U-Bahnstation. Sie bückt sich nach einem Teil, einem Haarschmuck, etwas, das verloren neben der Bank am Boden liegt.

Sie selbst trägt ein stakig kurzes Punkhaar, steife Strähnen, wie in einer Alb-Nacht gezaust und zu Berge stehengeblieben. Vanilleton mit schneeweißen Streifen. Dazu ein violetter Pulli mit schlappem Schalkragen, ein sehr knapper Lederrock, schwarze Strumpfhose, schwarze abgelaufene Stiefeletten, auch die Augen in schwarz ausgemalten Höhlen. Sehr kleines Gesicht, dünne, mondbleiche Haut, so daß an der Schläfe die Ader blau hervorschimmert. Zierliche, glatte Nase, bleigrün gestrichene Lippen, ein etwas zu breiter Mund, abfallendes Kinn.

Was also anfangen mit der kleinen Schildpattharke? Sie betrachtet sie, sie wendet sie, kratzt mit dem Daumennagel am Lack. Echt oder nicht? Sie lehnt sich zurück, nimmt das hübsche Fundstück zwischen die spuchtigen Finger, spielt damit, als riefe es irgendeine Erinnerung herauf, an eine Freundin, eine Schwester vielleicht oder auch an die eigene Frisur, wie sie vor Jahren war … Dann werden die Ellbogen hochgezogen und auf die Banklehne gestützt, die Beine überkreuz, der rechte Fuß wippt angeregt. Die lasch herabhängende Hand schaukelt das Ding, zwischen Zeige- und Ringfinger geklemmt, immer noch schielt sie hin mit leicht geneigtem Kopf, hält es anhänglich im Blick. Ein denkwürdiges, ein willkommenes Ding, eine kleine Freude offenbar.

Das Ding ist keine Spange. Wie heißt es? Haarklemme. Wie sagt man genauer? Steckkamm. Die einfachsten Dinger, die man immer vergißt, verliert.

Das Mädchen ist bisher schlecht und recht mit den Menschen ausgekommen. Ihrer Meinung nach haben sie alle zuviel von ihr verlangt. Sie hat sich immer in der Lage befunden, irgend jemand anblaffen zu müssen. Sie hat ein loses Mundwerk, sagte man früher. Aber das ist es nicht. Ihr Mund hat sich zu einer kleinen schnellfeuernden Schallwaffe entwickelt. Sie läßt sich nichts gefallen, aber ihr gefällt auch von vornherein nie etwas. Alle wollen irgendwas von ihr, das sie absolut nicht will. Weil einfach nichts von ihr gewollt werden soll. Was *sie* aber will, versteht sowieso keiner.

Meistens ist sie allein am Vormittag. Aber irgendwer findet sich im Lauf des Tages, in der Spielhalle, im Café oder in den Anlagen. Irgendwer, bei dem sie dann haltlos zu quasseln beginnt. Wie eine verrückte Alte. ›Ansichtssache‹, ihr Ticwort; es schiebt sich wie das Leerklicken im Magazin zwischen die Salven gepfefferter Ansichten. Sie besitzt jede Menge Munition von diesem aufsässigen Unsinn. Zuerst muß sie sich Luft verschaffen und mit dem Mund wild in der Gegend herumballern. Aber damit ist es noch nicht vorbei. Jetzt zieht sie scharf und beginnt das gezielte Anblaffen. Die Flappe, der vorgestreckte Hals, die ausgefahrenen Lippen richten sich auf einen zufällig querstehenden Mitmenschen. So überhaupt nur, im Angriff, nimmt sie ihn wahr. Irgendetwas wird er schon gesagt haben, irgendetwas Mißverständliches, das sie in Wut versetzt. Und wenn nicht, der Wechsel von Ballern zu scharfem Schnauzen vollzieht sich von selbst, braucht keinen äußeren Anlaß.

›Unheimlich aggressiv‹ nennt sich das. Tatsächlich kann man wenig dagegen tun. Man beruhigt sie mit nichts, man kann nicht auf sie einreden. Das beste ist, man sucht schnell das Weite. Dann tut sie nichts, sie springt einem nicht in den Rücken. Wenn man außer Sicht ist, beruhigt sie sich. Früher schwer, jetzt zu gar nichts mehr erziehbar. Weiß alles, weiß auch, warum. Wer kümmert sich außerdem um eine Zwanzigjährige, die ihre beste Zeit hinter sich hat, herumhängt und mit niemandem zurechtkommt?

Vor vier, fünf Jahren, da waren noch eine Menge Leute wie sie. Oder sahen wenigstens so aus. Auf der Straße war noch viel los, und die Menschen waren überhaupt viel ansprechbarer. Aber es stellte sich heraus, das war auch bloß Getue, nur Modezirkus. Von denen ist keiner übriggeblieben. Kaum einer.

Schildpattkamm, Ansichtssache.

Es gäbe die Möglichkeit, wirklich die Frisur zu wechseln. Die Haare wachsen lassen, einfach ein anderer Typ sein. Sie beugt sich vor, hebt die Hand, sieht sich das Stück von nahem an. Schildkrötenpanzer.

Braungelb geflecktes Horn. Drecksding. Schildkrötenmörder. Sie stellt sich vor: wenn die Schildkröten hierzulande heilige Tiere wären wie die Kühe in Indien ... Eine Schildkröte sein in ihrem uralten Panzer und ganz langsam die Fahrbahn überqueren, bis der sinnlose Verkehr zusammenbricht.

Sie stellt sich vor: ihre Mutter hätte so ein Ding im Haar getragen. Warum eigentlich nicht? Schön war sie ja. Es fällt ihr dauernd aus der Frisur, wenn sie im Kiosk bedient, und ich muß es dann aufheben. »Tritt nicht drauf!« brüllt sie. Hej, es gibt auch welche aus Plastik, die sind bedeutend billiger, du!

Das Mädchen blinzelt durch die Kammzähne in die Sonne. Es träumt nicht. Es weiß Bescheid. Die Lage kann sich stündlich verbessern. Es hängt immer alles von irgendeinem entscheidenden Knackpunkt ab. Die Welt an sich macht alles mit. Es kommt bloß darauf an, wie du dich selber fühlst. An sich: jede Menge Erleichterungen. Man kann sich nicht beklagen.

Die Möglichkeiten sind immer ihr Schönstes gewesen. Sobald jemand da ist, gibt's keine Möglichkeiten mehr. Gibt's meistens Krach.

Menschenfreundlichkeit hängt stark vom Wetter ab. Ob

man draußen allein auf einer Bank sitzen kann und von allen in Ruhe gelassen wird – dann sind die Leute Möglichkeiten, mit denen man umgehen kann. Der Mund hängt halbgeöffnet, schußbereit. Herumreden ist genauso schädlich wie Rauschgift, Suff und Tabletten. Aber eben: man kann's nur schwer lassen. Schöne Haare, große Mähne. Da braucht man nicht mehr viel sagen, das wirkt von selbst. Die Leute halten Abstand. Obwohl es wahrscheinlich zu mir nicht besonders passen würde. Da muß man schon den ganzen Typ verändern.

Reden ist Suff.

Hübsche Knie. Hübsche Ohren. Was noch? Vielleicht ganz hübsches Oberteil. Jedenfalls müßten die Ohren freibleiben. Man kann sich ja auch mit dem Ding die Haare bloß an der Seite hochstecken. Aber ich habe ein viel zu kleines Gesicht für lange Haare.

Früher ja. Aber im Sommer ist es die Hölle.

Das Mädchen nimmt, was es zuerst eine Haarklemme, dann einen Steckkamm genannt hat, zwischen die Ballen der rechten und der linken Hand. Sie spreizt die Ellbogen und drückt zu. Das Horn zerbricht, sie läßt die beiden Teile zwischen ihren Beinen zu Boden fallen. Sie lehnt sich zurück, steckt den Mittelfinger in die Nase, kramt, lutscht die Kuppe ab, reibt den Finger kreuzweis auf der Strumpfhose über dem Knie, blickt sich um.

Was kommt jetzt? Dies wäre der geeignete Moment für etwas Neues.

Alles nur kurz. Und das immer wieder.

Immer dasselbe, aber nur kurz.

Es wird Frühjahr. Die ersten warmen Tage. Die Leute fangen an, sich draußen auf die Bänke zu pflanzen.

Die Schmunzelkontakte breiten sich aus. Höchste Zeit, sich anderswo umzusehen. Das Mädchen zieht den Saum seines Minirocks vor – weit entfernt, damit die Knie zu bedecken. Uralter, zweckloser Anstandsreflex. Man sieht oh-

nehin der Strumpfhose bis in den Zwickel. Das Mädchen
steht auf. Es schlurft in den knautschigen Stiefeletten über
den gepflasterten Anlagenweg. Dürre, nach innen verdreh-
te Beine. Kein Tag ohne Erleichterungen.

———

Wer weiß, weshalb einer seine Stimme erhebt. Ob es noch
einen anderen Grund gibt, als sich in ein allgemeines, beru-
higendes Getuschel einzumischen? Es sind die vertrauten
Stimmen von nebenan, die dich ruhig schlafen lassen. Sei
du für einen anderen die Stimme von nebenan, undeutlich,
lebendig, nimmermüd.

Botho Strauss

Drüben

Hinter dem Fenster sitzt sie, es ist Sonntagnachmittag, und
sie erwartet Tochter und Schwiegersohn zum Kaffee. Der
Tisch ist seit langem für drei Personen gedeckt, die Obst-
torte steht unter einer silbernen Glocke. Die alte Frau hat
sich nach dem Mittagsschlaf umgezogen. Sie trägt jetzt ein
russischgrünes Kostüm mit weißer Schluppenbluse. Sie hat
ein Ohrgehänge mit Rubinen angelegt und die Fingernägel
matt lackiert. Sie sitzt neben der aufgezogenen Gardine im
guten Zimmer, ihrem ›Salon‹, und wartet. Seit bald vierzig
Jahren lebt sie in dieser Wohnung im obersten Stockwerk
eines alten, ehemaligen Badehotels. Die Zimmer sind alle
niedrig und klein und liegen an einem dunklen Flur. Sie
blickt durch ihr Fenster auf den Kurgarten und den lehm-
farbenen Fluß, der träg durch den Ort zieht und ihn in
zwei einander zugewandte Häuserzeilen teilt, in ein stilles,

erwartungsloses Gegenüber von Schatten- und Sonnenseite. Auf der Straße vor dem Haus bewegt sich nur zäh der dichte Ausflugsverkehr.

Sie hält ihren Kopf aufgestützt und ein Finger liegt auf den lautlos sprechenden Lippen.

Nun wird sie doch ein wenig unruhig. Sie steht auf, rückt auf dem Tisch die Gedecke zurecht, faltet die Servietten neu, füllt die Kaffeesahne auf. Setzt sich wieder, legt die Hände lose in den Schoß. Wahrscheinlich sind sie in einen Stau geraten …

Sie kommt in Gedanken und muß sich ablenken. Aus der Truhe holt sie die Häkeldecke, setzt die Brille auf. Doch das Warten ist stärker, es fordert, daß man sich still verhält, damit nichts Schlimmes passiert ist. Sie legt die angefangene Decke beiseite und blickt wieder hinaus auf den Fluß.

Am anderen Ufer, ihr gerade gegenüber, steht eine behäbige Gründerzeitvilla, etwas unförmig geworden durch etliche Erweiterungsbauten. In früherer Zeit der Ruhesitz eines berühmten Wagner-Sängers, stand sie lange baufällig und leer, bis vor wenigen Jahren ein Altersheim darin eingerichtet wurde.

Hier hat sie sich ein Zimmer ausgesucht, schon vorsorglich einen Platz reserviert, für später einmal.

Sie meint, von dort werde sie dann – später einmal! – auf das Haus hinübersehen, in dem sie mehr als ihr halbes Leben zugebracht hat, auf die Fenster der vierten Etage zurückblicken, in der sie mit ihrer Mutter, ihrem Mann, den aufwachsenden Kindern so lange gewohnt hat. Sie würde sich auch bemühen, die Menschen, die nach ihr dort einzögen, kennenzulernen und einen Kontakt zu ihnen zu finden. Aber das hat alles noch eine Weile Zeit. Später einmal, wenn sie die Treppen nicht mehr wird steigen können. Drüben gibt es einen Aufzug.

Vor dem Balkonzimmer, das sie sich ausgesucht hat, sind meist die Rolläden heruntergelassen. Hin und wieder tritt eine schrullige Person im Bademantel heraus und schlägt mit einem Tuch in der Luft herum. Es sieht aus, als wolle sie ein Insekt oder üblen Rauch vertreiben. Jedoch, sobald sie ins Zimmer zurücktritt und die Tür hinter sich verschlossen hat, wirft sie erst recht die Arme hoch und gebärdet sich mit Entrüstung gegen das lästige Draußen. ›Geh weg, du helle, falsche Welt!‹, so schimpfen die Arme. Früher zogen auf dem Fluß viele Lastkähne vorbei.

Sie sind jetzt über eine Stunde zu spät. Die alte Frau kann sich nicht mehr in Geduld fassen. Es könnte ihnen schließlich etwas zugestoßen sein. So weit ist der Weg doch nicht, selbst bei zähem Verkehr, sie müßten längst hier sein.

Aber sie haben sich gar nicht auf den Weg gemacht zu ihr. Die Tochter und ihr Mann haben die Einladung bei der Mutter einfach vergessen. Sie sind unter Mittag ein Stück ins Land hinausgefahren, haben Freunde besucht und sitzen nun zusammen in einem Gartenrestaurant bei Kaffee und Kuchen. Die Freunde haben noch zu einem Umtrunk in die Wochenendhütte eingeladen, da fällt es nun doch der Tochter ein, siedend heiß, sagt man wohl, daß sie bei der Mutter erwartet werden. So wie die Stimmung aber ist hier draußen, endlich aufgeräumt und unbeschwert, und endlich Sonne!, da sträubt sich bei ihr alles, jetzt noch aufzubrechen, nach Haus zu fahren und sich zur Mutter in die stickige Wohnung zu setzen. Ihrem Mann ist es noch weniger recht, und so wird er zum Telefon geschickt, um eine Ausrede zu finden und abzusagen.

Die alte Frau sucht unterdessen in allen Zimmern nach ihrem Portemonnaie. Aus irgendeinem Grund fiel ihr plötzlich ein, daß sie der Tochter noch zwanzig Mark mitgeben muß für den Glaser. Da klingelt das Telefon. Der Schwiegersohn spricht von auswärts und entschuldigt sich. Sie seien gerade dabei, sich eine Eigentumswohnung anzusehen. Die Frau sagt ein wenig ungewiß: »Na, dann beeilt euch mal nicht.« Der Mann setzt nun vorsichtig nach und meint, sie möge nicht länger warten, es würde heute wohl nichts mehr mit dem Kaffee … »Ach so«, sagt die Alte still, und sie verabschieden sich.

Sie steht eine Weile auf dem dunklen Flur. Sie stützt beide Arme in die Hüfte und blickt auf den Läufer. Das Portemonnaie ist noch im Einkaufsbeutel! … Tatsächlich findet sie es dort, nimmt zwanzig Mark heraus und legt sie unter den Kristallaschenbecher auf dem Garderobentisch.

Dann geht sie langsam zurück in den ›Salon‹ und steht vor dem gedeckten Tisch. Jetzt ist es zu spät zum Kaffeetrinken. Sie räumt die Teller und Tassen, die Bestecke und Servietten zusammen und stellt sie in den Schrank. Dann setzt sie sich an den Tisch auf ihren Platz, ein wenig schräg, die Beine zur Seite gestellt. Sie stützt den Ellbogen auf und legt wieder den Finger zwischen die flüsternden Lippen.

Die Zimmer eines Menschen abgestellt auf dem Trottoir, bevor alles für den Umzug in den Möbelwagen gepackt wird, der Lampenschirm, die Gardinenstangen, das Bügelbrett, der Kühlschrank, die Sitzecke, die Nähmaschine. Die Wohnung zerstreut am Straßenrand, ein Philosophiestudent als Transportarbeiter trägt eine hohe Chinavase. Die unbehauste Wohnung, Wohnung ohne Haus, ein loser Haufen Zeug auf offener Straße, jeder räumlichen Ordnung, jeder Intimität beraubt, halb schon Sperrgut, hinterbliebener Plunder. Von einer Einrichtung zur nächsten durchschreitet das Häusliche seine Auflassung, zeigt seinen letzten Zustand voraus: entkernter Innenraum, herzloses Gerümpel zu sein. So sehen die Dinge aus, wenn sie uns verloren haben. Trauern sie nicht in ihrer Unordnung?

Mainacht

In der Mainacht mit aufgeblendeten Scheinwerferaugen die
kleinen Straßen entlang alle Leuchtpfähle untergegangen in
weißen Doldengewächsen weiter reichte das Licht aus den
Blumen der Engelwurzschwemme seidenen Schirmen des
Kümmels. Auf armem geflicktem Asphalt eine tote leicht
zusammengeringelte Katze die noch alles vom eigenen
Wesen besaß. Am nächsten Morgen im Radio Mendels-
sohn wie Schumann gespielt von einem Pianisten der zum
Schluß nicht genannt wird. Erinnerung an den Traum nach
der Fahrt zuletzt durch die weißen Blumen. Totkranke
während des Krieges sie waren völlig bei Sinnen baten zieht
uns aus den Kutschen hervor erschießt die Pferde tragt uns
ins Gras mit den Blumen. Mitunter wenn die Musik spielt
man zu wenig schlief und nichts aß hat man die Welt in
einem Punkt.

SARAH KIRSCH

Dunkler Sommer

Blauschwarzer Himmel hat sich tief über das Land gelegt
Möwen hängen darin kalkweiße Flügel und Blitze. Die
Schafe stehen neubepelzt in dichter leuchtender Form
froh auf dem Deich mit frischbeschnittenen Hufen. So ist
mir leicht weil diese Tiere im Moorland oftmals gepeinigt
kniend nur fressen und die Besitzer prahlen unseren Scha-
fen geht es so gut auf unseren fetten Wiesen daß sie zu faul
sind sich zu erheben. Ein Bussard hängt gefaßt in den ver-
wirbelten Lüften.

Ein Mann, ein Schwimmer, schwamm, nachdem er sich durch einen kleinen Imbiß gestärkt hatte, in der Nähe der Schwimmschule ab. Ursprünglich hatte er nur die Absicht, nach Krems zu schwimmen, aber da er sehr schnell schwamm, merkte er erst in Melk, daß er an Krems längst vorbeigeschwommen war. In der Nähe der Brücke wurde er von einem Angler bemerkt und angerufen. Es ergab sich ein kleines Gespräch, das durch das Aufkommen von Westwind beendet wurde. Auf seinem Weg begegneten ihm nur drei bis vier Dampfer. In Ybbs verließ dieser Mann das Wasser in tadelloser Verfassung und war sehr bald in der Menschenmenge verschwunden.

ROR WOLF

Ein Mann, ein Former oder vielmehr ein Farmer, kam nach Fermo, das in Italien liegt, um eine Farm zu kaufen. Er erzählte von einer Formel, mit der er das Interesse der Welt auf sich lenken und sein Glück machen werde. Eine Zeit später äußerte er die Absicht, eine Firma gründen zu wollen, verschwand aber kurz danach in Formosa. Im folgenden Jahr fand man ein Formular, in dem eine treffende Formulierung über die Form eines zu entwickelnden Hutes zu lesen war. Wir haben es mit einem Mann von Format zu tun. Sein Name war Scheizhofer.

Eines Tages fiel ein Mann vom Stuhl. Er saß, wie berichtet wurde, auf die gewöhnlichste Weise auf einem Stuhl und fiel plötzlich herunter. Als er am Boden lag, sah er plötzlich auch einen anderen Mann, den er zuvor gar nicht beachtet hatte, vom Stuhl fallen und kurz darauf einen bisher noch nicht in Erscheinung getretenen dritten Mann. Als alle am Boden lagen, begann die Sache erst richtig: plötzlich fiel auch ein vierter Mann vom Stuhl. Aber das war noch nichts im Vergleich zu dem, was später passierte.

ROR WOLF

Ein Mann lag im Gras, um sich eine gewaltige Schlange vorzustellen, die herabhing, aber es fiel ihm nicht ein, vor diesem Produkt seiner Einbildungskraft davonzulaufen. Ein anderer Mann, der sich auch eine herabhängende Schlange vorstellte, ergriff entsetzlich schreiend die Flucht und verschwand in der Fremde. Etwas Ähnliches geschah einige Tage später auf dem Gebiet des Gehörs. Ein Mann stellte sich ein Gespräch vor, und es geschah nichts, was zu erwähnen wäre. Ein anderer Mann stellte sich auch ein Gespräch vor. Der Mann lag im Gras, wie am Anfang meiner Geschichte, in dieser ganz leichten, ganz weichen geräuschlosen Welt, von der ich erzähle, und plötzlich öffnete er den Mund. Es wäre nicht schwer, das Öffnen zu schildern und die Bewegung beim Sprechen; aber es wäre ganz überflüssig, ganz nutzlos, ganz aussichtslos; mit anderen Worten: es gibt überhaupt keinen Grund, es zu tun. Ich erwähne das ausdrücklich jetzt, an dieser Stelle des Buches, obwohl der beschriebene Mann mir geraten hat, darüber zu schweigen.

Vier Männer, ein Seifenreisender, ein Pantoffelmacher, ein Kunststopfer und ein Etagenkellner, machten sich eines Tages auf den Weg, um sich die Welt anzusehen. Nach einer langen beschwerlichen Reise durch große wasserlose Gebiete kamen sie an das Meer und sprangen hinein. Es war ein sehr schöner Tag, so schön, daß man eigentlich schweigen sollte. Dieser Ansicht war auch ein Neger, ein Angehöriger der dunklen afrikanischen Völker, der gerade vorbeikam. Soll ich schweigen? rief er den Männern zu. Aber die Männer hatten den Mund voller Wasser und konnten nichts sagen. Aus diesem Grunde hat es auch nicht viel Sinn, länger bei diesem Ereignis zu bleiben.

Ror Wolf

Um ein Beispiel anzuführen, will ich einen Mann erwähnen, der vor ungefähr zwanzig Jahren in Berlin eine gewisse traurige Berühmtheit erlangte. Dieser Mann, seinen Namen will ich verschweigen, hatte bessere Tage gesehen und eine höhere Bildung genossen, war aber schließlich bis auf die tiefste Stufe menschlicher Verkommenheit hinabgesunken. Welches Ende er später genommen hat, ist mir nicht bekannt. Aber es ist ja auch nur ein Beispiel.

Mehmet

Es war alles vorbereitet: das Bier kaltgestellt, die Wurst-
und Käseplatten hübsch mit Salzstangen und Zwiebel-
ringen garniert – der Diaprojektor im Wohnzimmer schon
seit Stunden aufgebaut, die Urlaubsbilder nach Reise-
stationen schon lange geordnet; es sollte ein gemütlicher
Abend werden. Obwohl Heinz den Ablauf der Diashow
schon x-mal geprobt hatte, war er sehr unsicher. Vier-
tel nach acht war es soweit, die ersten Gäste kamen. Um
neun Uhr hielt Heinz die Spannung nicht mehr aus, und er
versuchte geschickt, auf seine Urlaubsdias aufmerksam zu
machen – und wie das immer so ist, konnte er auch gleich
beginnen.

Das erste Bild zeigte die ganze Familie auf dem Frankfurter Flughafen, das zweite »über den Wolken« war auf
den Kopf gestellt; Heinz entschuldigte sich sofort. Das
dritte, »Ankunft Flughafen Istanbul«, Tochter Ramona
und Sohn Jens in Großaufnahme. Die Gastgeberin erklärte sofort, daß Ramona ausgerechnet heute bei einem Ar-
chitekten eingeladen sei, sie ließe sich entschuldigen. Die
weitere Reihenfolge der Bilder war wie bei jeder Urlaubs-
vorführung. Überbelichtet, angeblich lustige Szenen, die
auch nach vielen Erklärungen die Gäste langweilten. Span-
nend waren allerdings die Erzählungen über die »einfachen
gastfreundlichen Menschen« in der Türkei, die sie überall
getroffen hatten. Müllers, die auch schon mal in der Türkei
waren, konnten dies immer wieder bestätigen. Es war ein
fast gelungener Abend.

»Guten Abend«, sagte Ramona, »Entschuldigung, daß
wir so spät kommen, aber ich mußte noch auf Mehmet
warten, sein Chef ließ ihn mal wieder das ganze Lager al-
leine aufräumen.« Mehmet zog verlegen die Schulter hoch,
lächelte und sagte: »Ich Chef sagen, heute ich Bilder von

Türkei gucken, er nix wollen, er sagen viel Arbeit, Bilder egal.«

In dem halbdunklen Zimmer konnte niemand sehen, wie Heinz und seine Frau die Gesichtsfarbe wechselten und die Luft anhielten. Es herrschte eine grauenhafte Stille.

»Aber du wolltest doch zu Herrn Schneider gehen, Ramona???« sagte die Mutter.

»Ich? Zu Herrn Schneider? – Ach ja, stimmt. Aber die Feier ist verschoben worden. Habe ich euch doch gesagt. Oder nicht???«

Nun versuchten die Gäste, diese peinliche Situation zu überbrücken.

»Das ist aber schön, daß du doch noch gekommen bist. Setz dich doch, Ramona.« Mehmet merkte sofort, daß er übersehen wurde, setzte sich aber trotzdem. Heinz versuchte, sich zu beherrschen, und ging in die Küche. Ganz plötzlich fiel Herrn Müller ein, daß die Kinder nicht zu Hause sind und der arme Hund bestimmt dringend raus müßte; auch die anderen Gäste hatten plötzlich einen armen Hund und eine kranke Großmutter. Ramona ahnte, was nun kommen würde, nahm den verdutzten Mehmet an die Hand, zog ihn zur Tür und sagte: »Bitte, bitte, geh jetzt ganz schnell, ich werde dir morgen alles erklären.«

»Was los, warum morgen, nix heute??«

Aus der Küche wurde die Stimme des Vaters immer lauter, verzweifelt drehte Ramona sich um und sagte ganz leise:

»Bitte, gehe jetzt, bitte geh!«

Nun könnte man diese Begebenheit unseres langweiligen Alltags mit einem traurigen Ende erwürgen, dann würde diese erbärmliche Geschichte so enden:

Mehmet starrte wie betäubt die geschlossene Tür an. Obwohl es draußen warm war, durchlief ihn eine eisige Kälte, er zitterte am ganzen Körper. Anatolien war plötzlich ganz nahe. In seinem Dorf haben die Leute noch nie einen Gast rausgeschmissen.

Oder, um dem Leser endlich meine Version zu erzählen:

Mehmet geht hinaus, pinkelt in den Briefkasten von Heinz, atmet erleichtert auf, und beschließt für sein Leben, nie eine Frau zur Freundin zu nehmen, die sich seiner schämt und mit ihm am ersten Abend Dias anschauen will.

PETER MAIWALD

Der Liebebedürftige

Der Liebebedürftige hält ein Stück Papier vor seiner Brust, darauf steht: Inhaber ist der Liebe bedürftig. So steht er in unseren Geschäftsstraßen. Wir nehmen ihn nicht weiter zur Kenntnis. Mein Gott, sagen wir, Bettler gibt es überall. Unsere Historiker sagen: Zu allen Zeiten.

Dabei sieht der Liebebedürftige nicht abgerissen aus. Er trägt einen ordentlichen Anzug. Seine Haare sind geschnitten und gepflegt. Er kann einen Wohnsitz nachweisen, Arbeit auch. Manche Liebebedürftige haben sogar Familie, Verwandtschaften und Bekannte, Kinder! Was wollen diese Leute? Stehen herum, starren uns an. Malen Plakate, darauf steht: Inhaber ist der Liebe bedürftig. Das wissen wir nun. Na und?

Der Liebebedürftige steht immer noch herum. Manche sagen: Er läßt sich gehen. Andere sagen: Er nimmt sich nicht zusammen. Wieder andere: Ein Exhibitionist. Wir nehmen uns zusammen. Wir lassen uns nicht gehen. Wir stellen uns nicht zur Schau, jedenfalls nicht als Liebebedürftige. Unser Bedarf ist gedeckt.

Wir verstehen diesen Menschen nicht. Steht immer noch herum, der Liebebedürftige. Steht uns im Wege. Bleibt auf unserer Strecke. Ist mit Geld und guten Worten nicht wegzukriegen. Dabei tun wir doch schon alles, was wir können. Geben dem Liebebedürftigen die Adresse vom Sozialamt. Empfehlen ihm Ärzte und Therapeuten. Verraten ihm Börsentips und Sonderangebote. Einige von uns gehen so weit und stecken ihm todsichere Lotterielose zu. Es nützt nichts.

Der Liebebedürftige bleibt undankbar, jedenfalls in unserer Stadt, wo doch jeder sich soviel Liebe und Liebes erwerben kann, wie und wenn er nur will.

PETER HANDKE

Versuch des Exorzismus der einen Geschichte durch eine andere

Es war ein Sonntag, der Morgen des 23. Juli 1989 im »Hotel Terminus« am Bahnhof Lyon-Perrache, in einem Zimmer, das unmittelbar hinaus auf das Gleisfeld ging. Weit jenseits davon gab das wasserhelle Grün von Bäumen in einer Lükke zwischen den Eisenbahndrähten und den Häuserblökken eine Ahnung von einem Fluß, der Saône, kurz vor ihrem Zusammentreffen mit der Rhône; darüber das Kurven der Schwalben vor dem wie mit dem Himmelblau durchschossenen Weiß des abnehmenden Mondes, welches dann langsam wegtrieb, löchrig, wie eine Wolke. Über das große Gleisfeld, sonst sonntäglich leer, gingen die Eisenbahner ihre eigenen Wege, ein jeder mit seiner Aktentasche, stiegen hinten die Stufen hinunter, an einem mit wildem Wein bewachsenen Inselhaus vorbei, einem zierlichen Jahrhundertwende-Gebäude, mit oben halbrunden Fenstern, und schritten auf ihr Wohnheim zu, einen Betonblock, an dem fast überall die Vorhänge zugezogen waren. Oben machten die Schwalben im Flug Faltkniffe in den Himmel und unten blinkte es von den Aktentaschen-Verschlüssen und den Armbanduhren der episodisch die Schienen querenden *cheminots*. Das Geräusch eines Güterzugs kam in einer

Kurve wie von einem großen Sägewerk. Mancher der Eisenbahner ging auch mit einer Plastiktasche, und alle hatten sie kurzärmelige Hemden, ohne Jacken, und gingen in der Regel zu zweit, dieser und jener auch allein, und ihr Kommen und Gehen auf dem S-förmigen Weg über die Gleise hörte nicht auf: Jedesmal, wenn der an seinem Fenster Sitzende und mit ihnen Mitreisende von seinem Papier aufschaute, schaukelte dort unten schon wieder einer. Nur für ein paar Augenblicke war dann der Weg leer, gekreuzt allein von den Schienen in der Sonne, und im Himmel waren für den Augenblick auch keine Schwalben. Jetzt erst kam dem Betrachter zu Bewußtsein, daß das »Hotel Terminus«, in dem er die Nacht zugebracht hatte, im Krieg das Folterhaus des Klaus Barbie gewesen war. Die Korridore waren sehr lang und verwinkelt und die Türen doppelt. Nur noch die Spatzen schilpten draußen, im Verborgenen, und ein weißer Falter torkelte über den *chemin des cheminots*: Kurz herrschte die Sonntäglichkeits-Stille auch über diesem riesigen Bahnhof, kein Zug fuhr im Moment, nur in einem Vorhangspalt des Wohnheims zeigte sich jetzt eine Bewegung, allein zum Schließen des Spalts, und diese große Stille und Ruhe über dem Gelände, sie dauerten dann noch lange, während sich vor dem Wildenweinhaus das Blattwerk einer Platane regte, wie aus der Tiefe der Wurzeln herauf, und über dem unsichtbaren Fluß Saône, weit hinten, zuckte der weiße Splitter einer Möwe, und ins ganz offene Zimmer des »Hotel Terminus« blies der Sommersonntagswind, und endlich beging dann wieder ein Kurzärmeliger, im Schaukelgang, mit schwarzer Aktentasche auf der Höhe der Knie, den Eisenbahnweg, seines Ziels gewiß – so schwang auch sein freier Arm aus, und auf einer Schiene landete ein kleiner blauer Falter, blinkend in der Sonne, und drehte sich im Halbkreis, wie bewegt von der Hitze, und die Kinder von Izieux schrien zum Himmel, fast ein halbes Jahrhundert nach ihrem Abtransport, jetzt erst recht.

Applaus für ein Pferd

Es hatte geregnet und geschneit, nun graute der Abend, ein Abend im März, aber hier oben, im Fraecktal, waren die Winde kalt, die Nebel feucht, und der einsame Wanderer, der zum Paß hin und nach Süden strebte, war ein Komödiendichter, den die Kritik wenige Tage zuvor übel verrissen hatte. Er stapfte vor sich hin, stets und ständig an seine Niederlage denkend, an die Buhschreier und die hämisch grinsenden Freunde, er ballte die Faust und schüttelte den Kopf, er war fest entschlossen, mit dem Dichten aufzuhören für immer.

Plötzlich ein Pfiff, im nahen Sägewerk setzte das Fräsen und Schrillen aus, dann kamen Arbeiter von allen Seiten auf den Vorplatz, stellten sich zu einem Halbkreis in die Reihe und begannen zu applaudieren. Was war da los? Gleichzeitig hatte einer von ihnen ein Grammophon aufgebaut, kurbelte – O MEIN PAPA schepperte es in die naßkalte Dämmerung hinaus.

»Das ist ja unglaublich!« entfuhr es dem Komödiendichter.

Ein Wiehern, und jetzt, wahrhaftig, tänzelte aus einem dunklen Verschlag ein Schimmel hervor, der Applaus schwoll an, »Bravo!« schrien die Sägewerksarbeiter, »Bravissimo!«, und in der Arena, die ihr Halbkreis bildete, trabte der Schimmel, schnobernd vor Stolz, seine Runden. O MEIN PAPA WAR EINE WUNDERBARE CLOWN, O MEIN PAPA WAR EINE GROSSE KINSTLER, sang es laut und wackelig, die Sägewerksarbeiter klatschten im Takt, und der Schimmel, nachdem er einen Knicks angedeutet hatte, stolzierte aus der Arena, zurück in seinen Verschlag.

Der Applaus verebbte; alle lauschten gespannt, und einer mit glatzigem Schädel, offenbar der Vormann, schlich an die Tür, dann gab er ein Zeichen, »er frißt!« rief er gedämpft. Da lösten die Sägewerksarbeiter den Halbkreis auf, nickten dem Vormann einen Gruß zu und kletterten in einen Kastenwagen, der sie nach Fraeck hinunterbrachte, in ihre Baracken.

Der Komödiendichter ging auf den Vormann zu, gab ihm die Hand und erfuhr diese Geschichte:

Im letzten Herbst war ein kleiner Zirkus talaufgekommen, ein Traktor mit zwei Wagen, von einem blauschnäuzigen Direttore gesteuert. Sie wollten über den Paß, aber die Straße ist steil, der Traktor war alt, er pufte, knatterte, alles, was gehen konnte, mußte ausgeladen werden – die Nonna, ein siamesisches Zwillingspaar, ein uralter Löwe und der wiehernde Lippizaner. Indes hatte der Schneefall eingesetzt, Wind und Nebel stäubten, und der Direttore, gestikulierend und heulend, war plötzlich entschlossen, seinen über alles geliebten Neapolitano, den Lippizaner, für ein paar Tage im Sägewerk unterzustellen.

Der Zirkus verschwand im Geflocke. Tags darauf brachte ein Wanderer die Nachricht, man habe den Direttore auf der anderen Seite des Passes, vermutlich an der Zollstation, verhaftet. Der Lippizaner schien es zu wittern. Er legte sich in die Streu, er fraß nicht mehr, er wollte sterben.

»Neapolitano«, erklärte der Vormann, »ist ein Künstler. Ihm hat der Zirkus gefehlt, die Luft zum Atmen. Also haben wir das Grammophon installiert und den Platz mit Sägemehl überstreut. Er frißt kein Gnadenbrot, verstehen Sie? Er will auftreten. Er will seine Runden drehen und die Musik hören und den Jubel der Zuschauer.«

Indes hatte sich der Vormann dem Verschlag genähert, der Lippizaner sah kurz auf, dann fraß er weiter, mit mahlendem Kiefer. Der Vormann tätschelte seine Kruppe. Dann goß er sich einen großen Schluck Schnaps in die Kehle. »Er braucht Applaus«, sagte er noch, »den geben wir ihm.«

»Und Ihre Leute machen Abend für Abend mit, ohne zu murren?«

»Klar«, meinte der Vormann, »sonst frißt er ja nicht. «

Der Trichter des Grammophons stand als große, finste-

73

re Blume in der Nacht. Da die Platte immer noch kreiste, ließ sie ein Rauschen hören, ein heiseres Singen. Im Verschlag glomm eine Funzel auf, der Vormann begann seinen Lippizaner zu striegeln, und der Komödiendichter schritt lachend bergan.

CONNY LENS
Seit Wochen

»Gewürgt hat er sie!« Veras Stimme zitterte.

»Mein Gott!« Agnes biß in ihre Faust. Seit Wochen machte diese Sexbestie das Seeufer unsicher.

»Sie kam aus dem neuen Spielkasino«, sagte Vera, »und war auf dem Heimweg.« Sie nahm eine Zigarette. »Die Polizei meint, daß der Kerl hier irgendwo wohnt.«

»Wieso das?«

Vera senkte die Stimme. »Die Frau soll gesagt haben, daß ihr der Kerl irgendwie bekannt vorgekommen sei.«

Ein Geräusch. Carl erschien im Türrahmen. »Ich geh' noch ein bißchen spazieren.«

»Hast du die Antenne gerichtet?« fragte Agnes. »Auf dem Fernsehschirm ist kaum noch was zu erkennen.«

»Oh, ich …« Um seine Augen zuckte es nervös. »Ich mache es morgen. Bestimmt.« Bevor sie etwas sagen konnte, war er zum Zimmer hinaus. Kurz darauf rumste die Haustür ins Schloß.

Vera guckte erstaunt. »Ist der schon lange so?«

»Ein paar Wochen.« Agnes stand auf und stellte die Tassen in die Spüle. »Im Büro geht wohl alles drunter und drüber.«

»Und dagegen helfen Spaziergänge?«

»Sie beruhigen ihn, sagt er.«

»Ich muß los.« Vera küßte sie auf die Wange.

Agnes blieb am Fenster stehen und sah ihr nach. Dann wandte sie den Kopf und blickte in die Richtung, in die Carl abends immer verschwand. Ein Verdacht stieg in ihr auf.

Am Freitag abend ging sie Carl hinterher. Immer dicht den Hecken entlang. Stets bereit, in einen der Gärten zu huschen, falls er sich umdrehte. Aber Carl drehte sich nicht um. Er ging zielstrebig. Im Wald verlor sie ihn aus den Augen. Sie blieb stehen, sah sich um und ... entdeckte das Schimmern zwischen den Bäumen. Der See. Agnes schlug sich die Hand vor den Mund, um nicht zu schreien.

Von diesem Augenblick an ging ihr nur ein Gedanke durch den Kopf: »Wie?« Es mußte nach einem Unfall aussehen. Man las doch ständig von Ehemännern, die an Stromleitungen herumbastelten. Oder mit der uralten Kettensäge ... Oder ..., oder die auf wacklige Leitern stiegen! Wie leicht konnte man da abrutschen. Besonders, wenn die oberen Sprossen gut eingefettet waren.

Carls Hände zitterten vor Erregung. Wieder war es schiefgelaufen. Wie beim letztenmal. Und er hatte sich so geschworen, besser aufzupassen. Sich zurückzuhalten. Aber es ging einfach nicht.

Dabei hatte er es jahrelang unterdrückt. Nachdem er Agnes geheiratet hatte, war es weggeblieben. Doch dann ...

»Carl«, sagte Agnes. »Du versprichst es seit Tagen.«

Er schrak aus seinen Gedanken auf. »Was?«

»Die Antenne zu richten.«

»Morgen, Schatz.« Er sah den Zorn in ihren Augen und stand auf. »Okay, ich mache es sofort.«

Als er aus dem Haus trat, sah er, daß Agnes die Leiter schon gegen den Giebel gelehnt hatte.

*

Es war kein Polizeiwagen, der vor dem Haus hielt. Trotzdem wußte sie sofort, ihr war ein Fehler unterlaufen.

»Frau Geerds?« Der Mann sah sie fest an. »Es geht um Ihren verstorbenen Gatten.«

»Ich weiß«, sagte Agnes.

»Sie haben mich erwartet?«

Agnes nickte. »Es konnte ja nicht gutgehen.«

»Dann wollen Sie also zahlen?«

»Wie bitte?« Ihr Mund blieb offen.

»Oh, entschuldigen Sie.« Er deutete eine Verbeugung an. »Kress. Ich bin Croupier in dem neuen Spielkasino am See. Ihr Mann war in den letzten Wochen oft unser Gast.«

Ihr Verstand setzte aus.

»Ich habe hier die von ihm unterschriebenen Schuldscheine.«

THEA DORN

Vorsicht Steinschlag

Bei angenehm gedämpftem Licht und den verschwimmenden Klängen eines Pianos saß der große Sassen in einem schweren, schwarzledernen Sessel einer Hotelbar und schwitzte. Er versuchte, seinen mächtigen Körper aufrecht zu halten, als die Schweißtropfen langsam den Hals hinunter in seinen Kragen rannen. Sein Kopf, der sonst zwei Fernsehsender, eine Radioanstalt und mehrere Verlagshäuser lenkte, erschien ihm lächerlich weit vom Rumpf entfernt. Wie ein zufällig abgesprengter Felsbrocken thronte er auf dem Körpermassiv.

Sassens Gegenüber, eine junge Künstlerin namens Nona, modellierte, während sie sprach, mit ihren schmalen Händen die Luft. »Mein Material lebt, es atmet, es pulsiert, verstehen Sie? Als Bildhauerin muß ich stets darauf lauschen, wohin mein Material will. Ich zwinge ihm nichts auf, ich bringe es nur dorthin, wo es von selbst hinstrebt.«

Nonas nackte Ellbogen blitzten auf, als sie ihr langes Haar mit beiden Händen in den Nacken zurückwarf. Ihre glatten Achselhöhlen reflektierten das milde Barlicht. »Wenn ich mit einer Arbeit beginne, ist das Material noch zurückhaltend. Es ist vorsichtig. Es kann nicht wissen, ob ich ihm Gewalt antue. Erst nach und nach öffnet es sich mir.«

Der große Sassen preßte seinen Rücken tiefer in die Sessellehne. Die Rinnsale, die unentwegt von den Schläfen rieselten, stauten sich zwischen seinen Schulterblättern und färbten dunkle Seen auf den blauen Anzug. Ein feines Frösteln ergriff ihn.

Das Stadium, in dem er Worte mit Sinn verband, hatte Sassen längst hinter sich gelassen. Die Stimme der Bildhauerin plätscherte über ihn hinweg. »Ich spüre die Impulse, die mein Material aussendet. Es wird erst dann ruhig, wenn es seine endgültige Gestalt gefunden hat. Dann weiß ich: Mein Werk ist vollendet.« Nona beendete ihre Rede mit einem knappen Lächeln und lehnte sich zurück, die Hände im Schoß gefaltet.

Sassens weiße fleischige Finger hatten sich vom Körper losgemacht. Wie zwei Quintette Schnecken krochen sie über die ledernen Armpolster des Sessels, feuchtglänzende Spuren hinter sich lassend. »Nona, Sie sind eine außergewöhnliche Frau.« Sein Atem ging flach.

Abermals schickte Nona ein kurzes Lächeln in ihr Gesicht. Zentimeter um Zentimeter arbeitete sich das Cocktailkleid an ihren Schenkeln empor. Für eine Sekunde stießen die Kanten von Rock und Strümpfen aneinander, tiefes Schwarz lag an transparentem Schwarz, dann schimmerte ein schmaler Streifen weißer Haut auf.

Sein Herz, sein Herz! Etwas Unbekanntes schüttelte den großen Sassen, machte ihn schauern, brachte den Rotwein, den er soeben an den Mund geführt hatte, in Wallung und ließ ihn über den beengenden Glasrand hinausschwappen. Sassen spürte das Weiße in seinen Augen, ein Balken, ein weißer Balken brannte in seinen Pupillen. In seinem Hirn hetzten sich verzerrte Bilder, tanzten an der Innenwand seines Schädels Ringelreihen. Der massive Kopf drohte aus seinem fragilen Gleichgewicht zu fallen.

Nona erhob sich, und mit dem weißen Balken erlosch das Beben. »Kellner, einen Salzstreuer bitte! Der Herr hat sich mit Rotwein befleckt.«

In Sassens Gesicht war es still geworden wie auf einer verlassenen Leinwand. Hinter den weit geöffneten Augen glomm nur noch eine schwache Glut.

Ein Bild von ergreifender Schönheit war es, wie sich der große Sassen auf die Ewigkeit einrichtete. Die junge Bildhauerin zögerte einen Moment, bevor sie sich über ihn beugte und mit geübten Fingern die Lider im wie gemeißelten Antlitz schloß. Dann entfernten sich ihre Schritte lautlos über den Läufer, das Denkmal eines bedeutenden Lebens zurücklassend.

Noch am selben Tag empfing eine respektvoll erschütterte Welt die Nachricht von Sassens Tod.

FRANZ HOHLER

Unterwegs

Es regnet.

Vor dem Eisenbahnfenster wird Dänemark durchgezogen. Der Bühnenbildner hat sich für Bäume, Büsche, Äcker und Wiesen entschieden. Auf zusammenhängende Wälder hat er verzichtet. Dafür hat er an Nebelkrähen gedacht, und dort – ist das nicht ein Fasan?

Ab und zu läßt er ein paar schwarzweiße Kühe auftreten, die zu einem Bauernhof im Hintergrund gehören. Die Höfe hat er mit einem Siloturm kenntlich gemacht.

Auch an Seen ist kein Mangel; des trüben Wetters wegen

ist man oft im Ungewissen, ob es sich vielleicht um eine Meeresbucht handelt. Die Windknechte stehen gern in der Nähe des Meeres, es sind hohe Masten mit dreiflügligen Propellern, die den Wind einfangen und in die Steckdosen jagen. Manchmal stehen sie in ganzen Reihen da. Wenn ich der Wind wäre, würde ich versuchen, ihnen auszuweichen.

Aber ich bin nicht der Wind. Ich bin nur ein Bahnreisender, der sich wundert, wie unglaublich schmal und langgestreckt die dänische Flagge ist, die über so vielen Häusern flattert.

FRANZ HOHLER

Daheim

Daheim bin ich, wenn ich in die richtige Höhe greife, um auf den Lichtschalter zu drücken.

Daheim bin ich, wenn meine Füße die Anzahl der Treppenstufen von selbst kennen.

Daheim bin ich, wenn ich mich über den Hund der Nachbarn ärgere, der bellt, wenn ich meinen eigenen Garten betrete.

Würde er nicht bellen, würde mir etwas fehlen.

Würden meine Füße die Treppenstufen nicht kennen, würde ich stürzen.

Würde meine Hand den Schalter nicht finden, wäre es dunkel.

FRANZ HOHLER

Danach

»Hallo!« rief Herr B., »hallo, hier bin ich!«

Niemand antwortete ihm. Er wußte nicht, wo er war. Rings um ihn war es dunkel.

»Hallo!« rief er nochmals und klammerte die Hände um die Mappe, die er bei sich trug, »ich bin angekommen!«

Nichts geschah. Kein Licht ging an. Kein Tor knarrte. War da ein Rieseln? Ein Wind vielleicht? Nein. Sosehr sich Herr B. anstrengte, er hörte nichts.

»Darf ich Sie darauf aufmerksam machen, daß ich 32 Jahre lang Aktuar unserer Kirchgemeinde war?« rief er, »das muß doch bekannt sein hier!«

Da fiel ihm seine Mappe aus den Händen, und als er sich nach ihr bücken wollte, verließen ihn die Kräfte, der Mut, die Zuversicht, der Glaube, der Geist, die Gedanken, und alle Gesetze, denen er bisher gehorcht hatte.

FRANZ HOHLER

Die Göttin

Am Anfang, bevor die Welt erschaffen war, streifte Gott durchs Nichts, um irgendwo etwas zu finden. Er hatte die Hoffnung schon fast aufgegeben und war todmüde, als er plötzlich vor einer großen Baracke stand. Er klopfte an, und eine Göttin öffnete und bat ihn, hereinzukommen.

Sie sei, sagte sie, gerade mit der Schöpfung beschäftigt, aber er solle sich ruhig ein bißchen hinsetzen und ihr bei der Arbeit zuschauen. Zur Zeit war sie daran, in einem Aquarium verschiedene Wasserpflanzen einzusetzen.

Gott war in höchstem Maße erstaunt über das, was er sah, er wäre nie auf die Idee gekommen, eine Substanz wie Wasser zu erschaffen. Gerade dies aber, sagte die Göttin lächelnd, sei sozusagen die Grundlage des Lebens überhaupt.

Nach einer Weile fragte Gott, ob er vielleicht etwas helfen könne, und die Göttin sagte, sie wäre sehr froh, wenn er das Wasser und ihre bisherigen Schöpfungen auf einen der Planeten bringen könnte, die sie etwas weiter hinten eingerichtet habe. Sie würde gerne auf dem unbedeutendsten anfangen, probeweise.

Also begann Gott damit, die Schöpfungen der Göttin eine nach der andren aus ihrer Baracke auf die Erde zu bringen, und es ist nicht verwunderlich, daß später die Menschen auf diesem Planeten nur den Gott kannten, der das alles gebracht hatte und ihn für den eigentlichen Schöpfer hielten.

Von der Göttin aber, die sich das ausgedacht hatte, wußten sie nichts, und deshalb ist es höchste Zeit, daß sie einmal erwähnt wurde.

Anne Duden

Wimpertier

Fiedrig verfranstes Gold in hängenden Wassermassen. Endlich. Abends. Und ein bleiches, scharf gerändertes Blau unter dem einzigen, hingetuscht rosigen Lichtnebel. Lärm steigt aus den Härteschichten auf, ungedämpft, von hohler Kälte beflügelt, und das Gas verströmt sich und findet kein Ende.

Dies ist, von allen Momenten, immer noch der beste. Noch kann sie, einmal am Tag im Monat im Jahr auf- und durchatmen und sich selbst spüren lassen, daß an dem Rumpf mit seinem dickleibigen Großauge Arme und Beine sich befinden, die jetzt gerade leicht pendeln, bevor sie ein wenig ausschreiten und -greifen werden. Zur Erinnerung.

Nein, mit der Dunkelheit im Rücken. Nein. Die Rippenheber mögen sich nicht mehr rühren. Einmal am Tag, wenn es hoch kommt. Und die Schwellkissen sind dünn und durchsichtig geworden, zwei schlecht vernähte, jetzt bei der kleinsten Bewegung aneinanderreibende Häute. Die Füllung ist ihnen ausgegangen, denn ich stoße mich zu oft, und alle fadenziehende Flüssigkeit, allen Gallert brauche ich für den einen entscheidenden Kampf, der früh morgens, oft noch in tiefster Dunkelheit, einsetzt und dann gewöhnlich, allerdings an Intensität abnehmend, den ganzen Tag andauert. Durch so dicht aufgehäufte Schleimschichten dringt natürlich kein Vogelgesang, nur schlieriges Licht, das, ehe es hier ankommt, schon durch sämtliche Lager- und Verbrauchszonen gejagt worden ist.

Mit der Dunkelheit im Rücken, bestimmt nicht. Und vollkommen aufgerieben in den Gelenken. Ständig zieht mir auch jemand die Haare einschließlich der Haarzwiebeln aus. Die meisten nachts. Aber meine Kopfkissen sammeln sie alle und hinterlegen sie mir. Unter dem Hortensienstrauch, der gerade jetzt, während der kältesten Jahreszeit, in voller Blüte steht, mußte ich kürzlich die wenigen mir wichtigen Toten wieder ausgraben. Es war eine leichte und trockene Arbeit. Denn es handelte sich jeweils nur um die drei entscheidenden menschlichen Innereien: Herz, Niere, Leber. Alles andere war nicht begraben worden. Und diese waren, eingewickelt in blaue Plastikfolie, gebündelt und verschnürt, nur oberflächlich im Torfmull eingebuddelt. Auf jeden Toten kam ein kopfgroßer, weißrosa Blütenball an dem unbelaubten Strauch. Ich stand in einem Verhältnis der Verantwortung zu ihnen, den Toten, aber schuldig war ich nicht.

Erst Holz gegen Holz, gerammt und geschlagen. Und Schreie von Wand zu Wand und vom Boden zur Decke und wieder zurück. Dann Schläge von Metall gegen Holz und

Splittern, Spelzen und Reißen, trocken und ächzend, bis zu dem einen steil ansteigenden Schrei über die starr gewölbte Zunge in den jetzt geborstenen Raum. Die Zunge legt sich zurück auf den Mundboden und fließt, verebbt, sackt ab, versickert in Wimmern, Schluchzen und Verstummen. EINE FRAU WIRD BESEITIGT.

Das Mädchen lag auf dem Rücken, herausgeschnitten und abgetrennt, von der Dunkelheit umgeben, die nichts als ein Leitelement für Schlag, Schrei und Entfernen war. Die Tür wurde geöffnet und die Deckenbeleuchtung angeschaltet. Geht sie jetzt tot, fragte sie; ihr älterer Bruder im anderen Bett fragte nichts, aber hatte sich halb aufgerichtet und blickte haltlos umher wie plötzlich blind geworden. Nein, eure Mutter ist … sie braucht nur … nun schlaft schön weiter. Es blieben einige Sekunden zwischen dem Gesagten und dem Abschalten des Lichts und Schließen der Tür.

Sie war aus einem tiefgelagerten Zusammenhang gekommen, gegen ihren Willen, aus einer belebten dunklen Ruhe. Sie wurde unaufhaltsam aufwärts getrieben, nach oben gezogen zu einem unvermeidlichen, unumgänglichen Ziel hin, bei dem sie ganz und gar nicht ankommen wollte. Ein Auftrieb entfernte sie von etwas, in das sie dringend gehörte, eine Schwebefauna und -flora, mit der alle Fasern ihres Bindegewebes, alle Muskelstränge und Sehnen, alle Nervenenden verflochten waren. Hinterrücks war die Verankerung gekappt worden, durch ein plötzliches Geschehen von oben. Einen Anruf, einen Schrei. Vieles von ihr blieb unten hängen, ab- und ausgerissen, der ganze ihr mögliche Frieden, so daß sie rundum wund nun hochgezerrt wurde.

In allergrößter Nähe zum Tumult schon richtete sich ihr Wollen noch einmal auf das Entschwindende, auf die Behutsamkeit des Abgelagertseins. Aber sie ist schon an der Schwelle, sie wird schon über sie hinweggeschleift. Und noch ein letzter Schrei oder Schlag, das Öffnen der Tür oder schon das angehende Licht, und die Wahrheit bricht über ihren aufgebrachten, kleinen Körper herein. Ihr Körper, noch Momente zuvor ein nächtliches geschlossenes Auge, ein großes schlafendes Wimpertier, nun gewaltsam dazu gebracht, das Riesenlid, das ihn ganz bedeckte, zu heben, aufzuschlagen.

ANNE DUDEN

Krebsgang

Im Krebsgang bewegt sie sich über das Schlachtfeld, das als solches nicht kenntlich ist, weil es selbst nach den kräftigsten Einschnitten und -schlägen augenblicklich wieder zuwuchert und sich zu einer Gegend fügt, der man nichts ansieht.

Nachts ruht sie kaum, weil ihre Beine auch im Liegen weiter robben, kriechen, gehen, in Aufgeweichtes oder körnig Aufgeriebenes sinken und sich immer wieder da herausziehen müssen. Beim Wälzen von der einen Seite auf die andere wälzt sich hinter ihren Augen eine unter niedriger Decke eingeschlossene Wassermasse mit und schwappt und wogt, bevor sie in der neuen Lage allmählich sich beruhigt und still wird, noch eine Weile hin und her. Sie kann das einwärts gewandt erkennen, nicht sehr klar, aber doch so deutlich, als wäre ihr Inneres ein von diffusem Mondlicht beschienenes Gelände. Tatsächlich sind es die Suchscheinwerfer, die ihre Tätigkeit dann bereits wieder aufgenommen haben und aufs neue probieren, hinter ihre zuinnerst gelegenen Verwerfungen und bis in die derb verwachsenen Narbenkrater zu kommen, als befänden sich dort unbekannte und noch nicht patentierte Folterwerkzeuge. Die Suchscheinwerfer versehen ihren nächtlichen Dienst gewissenhaft, unaufdringlich und völlig geräuschlos. Spätestens im Morgengrauen drehen sie regelmäßig ab. Unter dem

Lichteinfall können die Träume nicht mehr ungesehen ihre Nistplätze erreichen. Sie stieben auseinander und fliegen auf, hinterlassen zerrissene Bilder, Fetzen, Schnipsel. Für die Beine sind das die schlimmsten Stunden. Denn wenn die Träume aufgestört und vertrieben sind, fallen sofort die Foltermächte ein, besetzen die Plätze und beginnen mit ihrer Tätigkeit. Manchmal kehren die Träume, nachdem die Scheinwerfer abgedreht haben, noch einmal zurück, nicht wiederzuerkennen. Erschöpft, blutunterlaufen lassen sie sich nieder, nachdem sie ununterbrochen umhergeirrt sind, verstört und ziellos die Strecken der Nachtstunden abgeflogen haben, weil sie nirgends landen konnten.

Einmal in den reißenden Strom der Grabtücher geraten, gibt es kein Zurück, keinen Halt mehr. Der Körper kann sich der Strudel nicht erwehren. Er wird weggerissen, abgeführt, in die Kloaken geschleudert und dann der vielfach und amtlich beklagten Zersetzung und endgültigen Auflösung kurz und sachlich trauernd überlassen, mit abgewandten Gesichtern.

Aber der Blick, der es überlebt hat und plötzlich erwacht; das Gehör, das aus den Lärmverliesen entlassen wird, das aufzusteigen beginnt und über nackter Schwarzerde sich wiederfindet, frisch mitten im Krieg, und rückhaltlos und sofort alles glaubt, was ihm die ersten Töne nahelegen: daß die Kühle schon einen Anflug von Milde hat und die Gruppen der geschlossenen Krokusse noch gänzlich unbeschattet sind, daß in gehörigem Abstand die Machenschaften der Stadt in den Feierabend entlassen werden und hier, in der gesammelten Nüchternheit, der Atem der Amseln zu Boden gerichtet ist und versuchsweise zwischen den niedrigen Luftschichten und der Erde die ersten Verbindungen entwirft.

Picknick der Friseure

Jedes Jahr im Mai kommen die Friseure. Wir möchten Fähnchen schwenken wie sie und weiße Kittel tragen mit demselben Stolz. Wir bewundern ihre langen, geschmeidigen Hände und verdrehen gierig die Augen nach den großen Körben, die verheißungsvoll an ihren Armen hängen, gefüllt mit weißen Kaninchen und Eiern, Wein und Gebäck.

Es regnet nie, wenn die Friseure kommen. Sie brauchen nicht nach oben zu schauen, um zu wissen, daß der Himmel blau ist und die Sonne sich in ihren blanken Köpfen spiegelt. Wie Netze werfen sie weiche Decken aus, gleich neben dem See unter schattigen Bäumen in unserem Stadtpark. Sie haben nie Eile und liegen, wie Sommerstudenten, die Arme verschränkt unter den Nacken, mit halbgeschlossenen Lidern im Gras. Was hinter den Lidern vorgeht, wissen wir nicht, sie öffnen keine Bücher und hinterlassen keine Notizen in den Papierkörben. Wir lauern flach im Gebüsch und lauschen ihrem unschuldigen Atem, bis endlich einer sich erhebt, um das erste Kaninchen zu schlachten.

Zu den Tätigkeiten des Friseurs gehört das Waschen, das Schneiden, das Legen, das Kämmen, das Blondieren, das Färben, das Tönen, das Pflegen, das Ondulieren, das Glätten der Haare gegen den Wind, das Rasieren, das Maniküren, das Pediküren, das Anfertigen von Perücken und Haarteilen. Das liest das Kaninchen aus der haarlosen Hand des Friseurs, das wissen auch wir, zitternde Spione im Maibusch, aber wenn die Schere aufblitzt, kneifen wir fest die Augen zusammen und pressen die Hände auf Ohren und Kopf, als hätten wir noch immer den Trick nicht begriffen, wie alles nachwächst. Da lacht der Friseur und winkt uns zu und schlägt ein Ei in die Pfanne.

Wir aber gehörten nicht dazu. Mit Kahlköpfen speisen, das bringt kein Glück, sagte unsere Großmutter und rümpfte die Nase, als hinge ein Unglück in der Luft. Sie schnitt uns die Haare nach eigener Art mit stumpfer Schere kreuz und quer, wer wollte schon schön sein bei solchem Wetter. Sie verhängte die Fenster mit schweren Tüchern, wenn die Friseure vorbeizogen, und nagelte Bretter vor die Tür. Aber wir entwischten durch den Keller und hörten sie hinter uns keifen, als wir die Straße hinunterjagten. Wir konnten nicht warten, wir wollten schön sein, wir wollten auf weichen Decken sitzen und mittafeln an einem richtigen Tisch, ein weißes Tuch ohne Flecken und Reste, denn die Friseure saugten mit glänzenden Lippen das Fleisch von den Knochen, bis sie schimmerten wie polierte Zähne. Dann warfen sie sie in hohem Bogen über ihre Schultern in den See. Und so traten wir atemlos in ihre Dienste.

Als der Abend kam, trugen wir stolz die Körbe voller leerer Flaschen, weshalb wir leicht schwankten, als wir ein letztes Mal am Haus unserer Großmutter vorübergingen, die Tür vernagelt und die Fenster verhängt, aber wir sahen sie deutlich hinter den Tüchern stehen, die Fäuste zum Abschied geballt.

Wir lernten das Handwerk gründlich und schnell. Den Sommer über wuschen wir Kittel und bügelten sie unter schweren Eisen, bis sie keine Falte mehr zeigten. Als die Blätter fielen, begannen wir, zu schneiden und zu kämmen, zu färben und zu blondieren, so lange, bis uns die Haare endgültig ausgingen an den Händen, die weich und geschmeidig wurden wie die eines Meisters. Morgens prüften wir unsere Nägel auf Spuren der Arbeit, denn nur eine saubere Hand garantiert den Erfolg des Geschäfts.

Als der Winter kam, wurde uns kalt auf den Köpfen. Wir blickten auf von der Arbeit und sahen sie im Spiegel glänzen wie frische Kanonenkugeln hinter den Gesichtern der bleichen Gäste. Und als uns abends nicht mehr warm wurde zwischen den Decken, erzählten wir einander Geschichten von endlosen Sommern am See, die zu lang waren für unsere Nächte, denn schon im Morgengrauen stand die Kundschaft vor der Tür. Sie schlugen mit Fäusten gegen die zugefrorenen Scheiben, in die sie Löcher bliesen mit ihrem ungeduldigen Atem. Dann drängten sie zur Tür herein und schubsten sich gegenseitig von den Stühlen, als sei nicht Platz genug für alle. Das Wasser dampfte nicht schnell genug in den Kesseln, wir schwitzten und froren zwischen den Becken und brannten Locke um Locke und schwenkten Kämme, Bürsten und Spiegel: da seht ihr, wie schön wir euch hergerichtet haben, denn Weihnachten steht vor der Tür! Nachts fegten wir keuchend die Fliesen und schafften in Eimern die Haare in den Keller, um Perücken zu bauen wie Wintermützen. In unbeobachteten Momenten zogen wir sie uns gegenseitig über die Ohren und lachten haltlos beim Blick in den Spiegel, aber warm wurde uns nicht dabei.

Zu Neujahr kam die Rasur. Jetzt hielten wir endlich das Messer in Händen am Hals mit der Klinge aus Stahl, biegsam zwischen zwei Platten gespannt, und schäumten die schmutzigen Bärte ein. Die Gesichter der Kunden waren müde. Träge starrten sie in die Spiegel und fragten nicht lange nach dem Verbleib ihrer Bärte. Am Ende warfen wir ihnen frisches Wasser ins Gesicht und glätteten es mit unseren Händen. Wir pinselten letzte Haare aus ihren Nacken. Wenn wir ihnen die weißen Tücher von der Brust zogen, waren sie schön wie zum Aufbahren. Sie traten hinaus in das neue Jahr wie frisch gebadete Kinder, die glauben, daß wieder ein Frühling kommt. Er kam, und wir nahmen die Kittel und trugen sie hinab in den Keller, um sie zu verbrennen. Wir schliefen heimlich neben den Öfen und träumten von großen Reisen in wärmere Länder, die bartlosen Gesichter eng aneinandergeschmiegt.

Aber im Mai marschieren wir ein in die Stadt, den Rucksack gestopft mit Kaninchen und Hühnern und allem, was wir unterwegs zu fassen bekommen. Der Himmel ist blau, und die Mädchen schwenken bunte Fahnen. Im Stadtpark schlagen wir unsere Zelte auf und lassen uns von den Mädchen die Stiefel von den Füßen ziehen. Wir legen uns in

ihre Arme und ziehen gierig an ihren Zöpfen, aber wenn
wir sie küssen wollen, springen sie seitwärts weg in die
Büsche und legen sich auf die Lauer. Erst wenn der Duft
unverkennbar aufsteigt zwischen den Bäumen, hält es die
Mädchen nicht länger. Sie springen hervor und lassen sich
füttern und lachen und wischen uns mit ihren Zöpfen das
Fett von den Wangen. Wir schlagen lang hin und kugeln ins
Gras, als hätten wir nicht begriffen, daß nichts nachwächst.

DAGMAR LEUPOLD

Vietnam Veteran / Penn Station, New York

Die Beinstümpfe ragen, obwohl sie sehr kurz sind, über die
Sitzfläche des Rollstuhls hinaus und behindern die zu den
Zügen hastenden Berufstätigen beim Betreten der Roll-
treppe. Sie verschlucken den Vorwurf hinter vorgehaltener
Hand, fischen nach Kleingeld und werfen es in die speckige
Kappe am Boden. Zum Dank schwenkt er das *Budweiser
light*. Auf dem Schild steht: *VV fought 4 you!*
  Das mit Pomade zurückgekämmte Haar ringelt sich
im gekerbten Nacken zu öligen Locken, hin und wieder
klemmt er die Bierdose zwischen die Oberschenkel und
kontrolliert mit beiden Händen den Sitz der Frisur.
  Gegen Abend singt er, wickelt weinend die Beinstümpfe
aus und zeigt Einschußnarben im Gallenbereich.
  Die Geldscheine verschwinden in einem Brustbeutel. Er
hat noch nie ein Wort mit den Zeugen Jehovas gewechselt,
die von frühmorgens bis tief in die Nacht neben ihm ver-
steinern.

Der Schuh

Wie jeden Tag bog Johannes Säumig auch diesmal auf dem Nachhauseweg links ab, um in der Bäckerei an der Ecke frische Brötchen zu kaufen. Sein letzter Gedanke vor dem Einschlafen galt immer dem Frühstück: Sich Nacht für Nacht dem Schlaf zu stellen, mit seinen Träumen, seiner Fassungslosigkeit und seinen Entgleisungen, verdiente eine Belohnung. Diese Belohnung war das Frühstück. Die drei Stufen, die zur Bäckerei führten, nahm Säumig daher mit einem gewissen Schwung, beflügelt durch das Ende des Arbeitstags und die nun zu leistende Vorsorge für einen gelungenen Beginn des kommenden Tages.

Heute stolperte er beinahe über einen schwarzen Schuh, der auf der obersten Stufe lag. Der Schuh einer Frau, klein eher, nicht besonders gepflegt, mit schiefgetretenen Absätzen. Säumig nahm ihn auf und hielt ihn in Augenhöhe: Es war der rechte, das Leder an der Außenseite der Ferse war durch Reibung stumpfer und glanzloser als das Leder des übrigen Schuhs. »Eine Autofahrerin«, dachte Säumig und empfand Sympathie bei der Vorstellung des leicht vom Gaspedal gerutschten Fußes, der mit einer gewissen Verträumtheit und Nachlässigkeit beschleunigte, so als kümmerte ihn die zu erreichende Geschwindigkeit nur am Rande. Unwillkürlich preßte Säumig seine eigene Sohle fest auf den Asphalt, während er sich mit der Nase dem Schuh und damit der Trägerin näherte. Ledergeruch, bestürzend untermischt mit einer Brise aus Schweiß, Eile und Muße.

Er ließ den Schuh in den Beutel gleiten, den er zusammengefaltet in der Aktentasche trug, und betrat die Bäckerei, ohne zu grüßen.

Die Verkäuferin schaute ihn, ihrerseits wortlos, auffordernd an. Säumig war versucht, einfach nur auf die Brötchen zu deuten und mit Daumen und Zeigefinger die Anzahl anzugeben, dann aber verließ ihn der Mut zu schweigen, und er sagte: »Zwei normale Brötchen, bitte.«

Zu Hause legte er die Brötchen in den Brotkorb, wusch seine Hände und schaltete den Fernseher ein.

Die jugendlichen Stimmen einer Vorabendsendung begleiteten ihn auf seinem Rundgang durch die Wohnung. Ein Bier stand bereits im Kühlschrank, er selbst hatte es am Morgen kaltgestellt, der Warmwasserboiler war ordnungsgemäß ausgeschaltet, die Sicherungen und das Türschloß waren unversehrt.

Säumig lockerte seine Krawatte, zufrieden über die eingetretene Entspannung.

In der Küche stellte er alles für das Abendessen Nötige auf ein Tablett und trug es zu dem Couchtisch im Wohnzimmer. Übermütig schob er das Platzdeckchen beiseite und erwartete mit großem Appetit die Nachrichten.

Erst als er zu Bett ging, sah er den Beutel wieder, den er in der Diele bei seinem Mantel aufgehängt hatte.

Er nahm den Schuh heraus und stellte ihn neben sein Kopfkissen. Im Bad sang er. Vor dem Einschlafen drehte er sich auf den Bauch und schob die rechte Hand in den Schuh. In den von den Zehen hinterlassenen Kuhlen kamen seine Fingerkuppen zur Ruhe.

Kerstin Hensel

Ausflug der Friseure

Sie kommen, wie jedes Jahr, an diese Stelle im Friesischen, auf die zwischen Emden und Ditzumerverlaat gelegene Wiese. Sie erscheinen einzeln oder in kleinen Gruppen. Vor allem aus dem Osten der Welt kommen sie zu zweit oder dritt. Jeder ein quadratisches Köfferchen in der Hand, die

Gangways der Flugzeuge und Schiffe herabschreitend, mit erhobenem Kopf und feinen, beinah damenhaften Schritten. Sie lassen sich im Gras nieder, auf Decken und Tüchern und schwätzen und zwitschern über ihr Handwerk. Jährlich gibt es das Neueste zu berichten und vor allem vorzuzeigen. Sie lassen die Kofferschlösser schnappen und bereiten das Picknick vor. Wein, Gebäck, Geflügel. Flaschen werden geöffnet, und es wird angestoßen: aus vielen Ländern ist man hergereist, Getränke aller Art im Gepäck.

– Zu später Stunde, sagt der Mexikaner, werden wir Kakteenschnaps trinken.

Nachdem der erste Schluck genommen ist und die Bekannten und Unbekannten einander begrüßt haben, holen sie das Geflügel hervor. Jeder hat einige, im ganzen Federkleid befindliche Vögel mitgebracht: Hühner die Österreicher, Fasanen die Franzosen, Gänse die Ungarn, Enten kommen aus Polen, Eulen aus Schweden, ein Schwan aus der Schweiz, der Russe bringt einen Milan, vom Argentinier ein Straußenküken, Singvögel der Italiener, die drei Chinesen Spatzen, Zuchtkrähen der Deutsche und der Einheimische eine Möwe. Sie legen die Vögel auf ihre Decken und bewundern das Gefieder. Dann kommt der Appetit, wie jedes Jahr, zu spätmittäglicher Stunde. Das große Rupfen beginnt. Mit feinem und doch kräftigem Zug ziehen sie Flaum und Deckfedern heraus. Daumen und Mittelfinger fassen den Kiel, drehen ihn mit einem leichten Ruck und werfen den Rupf hinter sich. Manche Federn treibt der Wind über die Wiese. Die schweren liegen in bunten Haufen vor ihnen.

Sie haben den Ausflug wie jedes Jahr mit diesem lustigen Spiel begonnen, wobei sie ihre Künste wortreich bewundern und abschätzend bereden. Als alle Tiere gerupft sind, fahren die gespreizten Finger in die Federhaufen und wirbeln sie in die Luft. Was nicht übers Land treibt, setzt sich in den Haaren fest und wird einander mit viel Gelächter abgepflückt. Bald liegen alle Frisuren wieder frei. Die meisterliche Ordnung der Haare wird nun zum Thema erhoben, ein jeder nach seiner Fasson. Sie stellen vor, was auf den ersten Plätzen der internationalen Mode liegt. Der eigene Kopf demonstriert den letzten Schrei perfekten Handwerks, gegen die Natur gewirkt und gekämmt, mit allen Mitteln der Kunst. So trägt der einst lockige Kubaner geraden Topfschnitt. Zum Igel geschoren und zweierlei rot gefärbt der haarüppige Pole. Filzige Rastalocken zeigt der von Natur aus federhaarige Finne. Afrogekraust geben sich Chinesen und Japaner, während die Krausen der Afrikaner mittels glühendem Eisengerät glatten Fall erhalten hatten. In winzige Zöpfe geflochten der Russenkopf, der Araber in Affenschaukeln, Amerikaner mit Dutt und mit Dauerwelle der Australier. Wie sie geschnitten und geformt hatten! Jedes einzelne Haar trägt das Können des Meisters. Den jahrtausendealten Anlagen zum Trotz verändert und den Zug der Zeit bestimmt.

Sie stoßen mit Champagner an und fallen in Entzücken. Prost! rufen sie und Cheers! und Na sdorowje! – Die zarten Hände berühren das Haar der anderen. Sie bewundern Bändigung und Halt, geben kostbare Ratschläge. Es ist der Franzose, der, verhalten Kritik übend, beginnt, ein falsches Haar vom Brasilianer abzuschneiden. Der Russe nimmt einen Kamm und stößt ihn in eines Japaners Krause. Mit exaktem Messerschnitt senst der Spanier den Blondschopf des Ghanesen ab. Gelächter rollt über die Wiese. Kleine Feuer werden gelegt. Neue Flaschen geöffnet. Prost! ruft man und kostet einmal vom Festiger. Cheers! ein Schluck vom Rasierwasser. Eau de Cologne. Man beginnt sich einzuseifen. Die Koffer geben Shampoos und Naturextrakte her. Der Einheimische holt Wasser. Henna rührt der Lette an, Wasserstoffperoxid der Peruaner. Spülungen fließen über die Köpfe, und es entsteht auf der Wiese eine Musik von solcher Heiterkeit, daß sie sagen: Solch einen gelungenen Ausflug haben wir noch nie gehabt. Dann werfen sie die alte Mode von sich. Sie fallen übereinander her und reißen sich an den Haaren. Neueste Moden kreieren sie aus dem Stand, das heißt aus dem Fall, denn sie stürzen übereinander in kreischender Lust und zerren und ziehen und fitzen die Frisuren. Brennstäbe werden aus den Koffern geholt. Föne hervorgezogen. Bürsten, Wickler, Klemmen, Scheren und Spangen kommen zum Einsatz. Sie drehen einander Locken. Sie ziehen einander die Krausen glatt. Zöpfe werden ent- und geflochten. Blondes wird geschwärzt, Dunkles entfärbt. Prost! Cheers! Na sdorowje!

Herr Li hat noch sein glattes schwarzes Haar. Sie nehmen die Brennschere und stoßen sie hinein. Sie halten die Schere fest, bis das Haar qualmt und sich krümmt. Herr Li rührt sich nicht. Die beiden chinesischen Landsmänner schmieren ihm scharfe Creme in die entstandenen Lokken. Herr Li rührt sich nicht. Der Einheimische wetzt das Messer am Riemen. Sie setzen es alle gemeinsam an den innersten Rand des Haaransatzes. Sie führen gemeinsam einen Schnitt von der Stirn über den Scheitel zum Hals. Sie ziehen dem Herrn Li das Haar ab. Sie geben das seltsam entfärbte und gekrauste Gebilde von Hand zu Hand. Herr Li rührt sich nicht.

Drei Tage später findet ein Bauer zwischen Emden und Ditzumerverlaat den Herrn Li auf der Wiese. Er holt Forke und Karren und lädt ihn auf und sagt:

Dat de imme her heoneknoken int Land ligen laten!

Kerstin Hensel

Des Kaisers Rad

– Aber der Kaiser ist ja nackt! sagte endlich ein Kind.

– Herrgott, die Stimme der Unvernunft! sagte die Mutter erschrocken, nahm das Kind beiseite und gab ihm eine Maulschelle, daß der Knall bis unter den prächtigen Thronhimmel zu hören war.

Auch der Vater erschrak, ohrfeigte das Kind. Dann versetzte er der Frau einen Stoß gegen den Kopf:

– Daß du so viel Aufhebens um unser dummes Kind machen mußt! Sichst du nicht, wie der ganze Hofstaat nach uns schaut? Wir sind unser Leben lang nicht aufgefallen.

– Aber der Kaiser ist doch nackt, weinte das Kind, und ein Finger zeigte auf den Monarchen, der den Thron erstiegen hatte und ohne einen Fetzen Stoff auf der Haut das Zepter führte.

Die Mutter des Kindes rührten die dünnen, behaarten Beine des Herrschers. Sie erschrak vor dem faßförmigen Bauch, der sich auf diesen Beinchen hielt.

Bevor das Kind ein drittes Mal rufen konnte, trat der Erste Kammerherr des Kaisers heran. Er faßte es bei den Armen, hob es hoch und fragte ihm ins Gesicht:

– Bist du dumm?

Das Kind wimmerte vor Schmerzen, schüttelte den Kopf.

– Der Kaiser ist ja ... preßte es unter Tränen hervor.

Da stopfte der Kammerherr ihm einen Knebel in den Mund und rief:

– Dieses Kind taugt nichts! Es ist dumm! Es kann den schönen Stoff nicht erkennen, den unser Kaiser trägt.

Die Menschen rings um den Kaiserstuhl, die dem nackten Monarchen dienerten und laut Ohh! und Ahh! gerufen hatten, murmelten beifällig, als dem Kind der Mund gestopft ward.

– Recht geschieht ihm, sagte auch der Vater, obwohl er sich eines kleinen Schmerzes in der Herzgegend nicht erwehren konnte: Sein Kind war erst sechs Jahre alt und überdies ein sehr schwaches, kränkliches Geschöpf.

Die Eltern versuchten, das Kind an den Rand der Prozession zu ziehen, aber es war widerborstig und wollte nicht laufen, schließlich trug es der Erste Kammerherr einfach weg.

– Was ist da los? wollte der Kaiser unter dem Thronhimmel wissen, und um besser sehen zu können, stand er auf.

– Ahhh! rief die Volksmenge, was für Muster! Diese herrlichen Farben!

Keiner stand dem Kind zur Seite und gab zu, daß er auch nicht mehr sah als den nackten Wanst des Herrschers, an dessen Unterseite ein winziges Klunkerchen Gemächt seine Männlichkeit zeigte.

– Wir haben hier den kleinsten, doch größten Dummkopf des Landes gefangen. Er ist nicht nur dumm, sondern auch gefährlich, erklärte der Oberzeremonienmeister dem Kaiser.

– Was hat er denn getan, wollte der Herrscher wissen.

– Er hat behauptet, Ihr wäret … nackt, Majestät.

– Flechtet ihn aufs Rad, schnaubte der Kaiser und kratzte sich über die Brust.

– Aber es ist doch nur ein Kind! rief die Mutter des Delinquenten.

Doch schon hatte jemand aus dem Volk ein Rad herbeigeschafft und begann, den kleinen Übeltäter in die Speichen zu flechten. Dafür mußten dem Kind Arme und Beine gebrochen werden. Das Volk half, die Arbeit ordentlich auszuführen. Da fiel dem Kind der Knebel aus dem Mund, und mit schon halbtoter Stimme sagte es:

– Aber der Kaiser ist doch nackt.

Es ging ein Aufschrei durch die Menge. Soldaten wurden herbeigerufen. Das erste Mal in ihrer Dienstzeit empfingen sie den kaiserlichen Befehl:

– Erledigt den Feind!

Gewohnt, den Satz *Der Kaiser ist in der Garderobe* zu hören, waren die Soldaten nun hocherfreut. Sie gingen sogleich daran, den Befehl auszuführen. Sie rollten das auf das Rad geflochtene Kind durch die Menge zum Thron. Dabei zertrat einer dem Kind mit den Stiefeln das Gesicht. Es konnte nun auch nicht mehr sprechen.

– Exzellent, sagte der Kaiser und strich sich über den Bauch, von nun an wird unser Land Ruhe haben vor diesem Verräter.

– Ja, Eure Majestät! rief der Oberzeremonienmeister, keiner wird jemals wieder sagen, der Kaiser sei nackt!

– Was bin ich? brüllte der Monarch, und sofort schloß sich der Befehl an:

– Rädert den Mann! Erledigt den Feind!

Schon war das tote Kind vom Rad genommen und der Oberzeremonienmeister aufgeflochten, und der Erste Kammerherr jubelte:

– Keiner wird je wieder sagen, der Kaiser sei nackt!

Ohne den Befehl abzuwarten, flochten das Volk und die Soldaten nun auch den Ersten Kammerherrn aufs Rad und jubelten und freuten sich, so daß sie bald alle ganz übermütig riefen:

– Keiner wird jemals wieder …

Kaum hatte einer diesen Satz zu Ende gesprochen, war er auch schon des Todes; und die ihn töteten, übermannte die Siegfreude, und sie sagten den nämlichen Satz. Bald war der Platz rot von Blut, und der Kaiser dachte bei sich: Nun muß ich die Prozession durchhalten. Und so hielt er sich noch stolzer, und der letzte Mensch, den er noch lebend sehen konnte, ein sechsjähriger Knabe, folgte ihm und trug die Schleppe.

ILMA RAKUSA

Durch Schnee

Im Dezember, bei heftigem Schneetreiben, beschloß Anna Sergejewna, der Lüge ein Ende zu setzen. Sie würde in Moskau bleiben. Sie würde ihrem Mann einen langen Brief schreiben und ihre Liebe zu Gurow gestehen. Daran war nichts Schändliches, schändlich war nur ihre Verzagtheit. Sie lief schon. Klarheit, murmelte sie. Was immer kommen mag. Aufgeregt ruderte sie mit den Armen. Klarheit. Und ihr kleiner Körper zuckte.

Am Abend saß sie in ihrem Zimmer in der Pension und schrieb. Draußen tobte der Sturm, sie aber hörte keinen Wind, hörte nichts.

»… Sie kennen mich kaum. Sie heirateten ein blasses Mädchen, boten ihm Raum, und die Zäune erledigten den Rest. Nie sollte ich mich zur Frau mausern. Sie – der Ernährer, ich – Ihr Zögling. So vergingen die Jahre in S. Ein Schattenkarussell. Ich war nicht unglücklich, ich wußte nicht, was Glück ist.

Haben Sie je mein Haar gezaust? Meine abgebrochenen Träume zu Ende geträumt? Sie, ein Liebhaber schmissiger Operetten, haben mir ein Plätzchen angewiesen. Da saß ich mit dem Spitz. Wie sollte ich zu neuen Ufern aufbrechen bei zugefrorenem Fluß?

Und dann dieses Meer. Diese weiße Sonne. Diese Bäume, in denen die Vögel sich küßten. Ich war allein, und so frei. Ich fühlte mich in einer weißglänzenden Geschichte. Lief zwischen Hundsrosen die Berge hinauf und hinunter, und viel am Quai entlang. Lorbeer, draußen die Schiffe, als wär ich an einem andern Ende der Welt. Bis spät in die Nacht. Und wollte immer noch näher an dieses Leben heran. Hinein in die bewegte brennende Gegend.

Sie glauben mir doch? Glauben mir doch, daß ich heimlich sang. Und einer Wolke winkte. Kleiner Wiegeschritt, der Blick gradeaus. Allmählich war nichts mehr beim alten.

So traf mich Gurow an. Er erkannte mich ohne ein Wort. Meine Erscheinung flößte ihm Mitleid ein, doch mein innerer Hunger reizte ihn. Und ich? Verachtete mich dafür, daß ich Sie betrogen hatte. Doch war mir klar, es gab kein Zurück. Liederlich oder nicht, schuldbewußt oder nicht, ich hielt einen Zipfel des Glücks. Wollte das funkelnagelneue Abenteuer nicht abwürgen, die Sonnentage und schnellen Nächte. Grämte mich und gierte. Er hielt meine Zweifel aus. Das war der Anfang unserer Liebe.

Sie glauben, ich hätte leichtsinnig gehandelt? Nein und nochmals nein. Ich habe aufs Spiel gesetzt, was nicht mehr hielt, was so stark riecht, weil's unter ihm modert. Aber ich kehrte zu Ihnen heim. In eine häusliche Lage, das war niederträchtig. Das Herz davongeflogen, der Kopf in den Wolken, die Lippen einwärts. Und Sie fragten nicht. Sie dachten, immer wieder kommt alles gut. Oder machten Sie Gegenpläne?

Ich war aus jedem Himmel herausgetrieben. Wenn die Luft so ganz still stand, hoffte ich auf eine geräuschlose Lösung. Sie kam nicht. Ich gab vor, zu einem Moskauer Frauenarzt zu fahren. Ich betrog uns beide. Sie waren großzügig. Oder sind Sie ein Lakai? Ich weiß nicht, wer Sie sind. Seit Jahren ist zwischen Ihnen und mir so ein Schrecken, und draußen die Nacht. So daß wenig bleibt: etwas Erinnerung, als Überrest einer verlorenen Phrase.

Ich bleibe in Moskau, wo aber auch kein Himmel ist. Das Mädchen von einst bittet Sie um Verzeihung. Es hat gelernt: Traurigkeit, und daß die Flüsse unter der Erde fließen. Jetzt ist die Zeit fürs Tageslicht gekommen.

Ruhen Sie sich aus an einem südlichen Meer.

Spitz ist mir ein Trost. Er weiß von nichts. Nur seine Augen werden immer kleiner. Ja.«

Anna Sergejewna schloß und starrte vor sich hin. Wie in ein unergründliches Dunkel, wie in ihre eigene Herzkammer. Ich sterbe, dachte sie einen Augenblick. Die Schlüssel sind weg. Aber dann dachte sie an Gurow, der von nichts wußte und dem sie morgen schon eröffnen würde, daß sie bleibt. Sie war nicht leere Luft. Da stand sie, und sei es ihm im Weg.

Was wird, wird, murmelte sie. Irgendwo im Schrank hingen ihre wenigen Kleider, lag ein Erinnerungsstück aus der Kindheit. Ich habe kein Zuhause. Damit fängt es an.

Gurow war überrascht, daß sie nicht öffnete. War sie krank oder ausgegangen? Er fühlte sich für sie verantwortlich, weil sie mit ihrer Sanftheit die Zeiten verwirrt und das Paradies in sein Hirn gepflanzt hatte. So laufen Kinder durch die Welt, so lieben Narren. Gnadenlos. Er gehörte ihr. Warum?

Schnee. Er fällt auf alles, auf den Gehsteig, auf die Fra-

gen, auf die eigene Verzagtheit. Weiß oder grau, großflok-
kig und naß. Gurow lief. Hätte er nur schweben können,
aller Schwere entrinnen.

Herrgott! Spitz!

Er schrie.

Du hier?

Sie stand abseits und lächelte.

Gerührt und erschrocken sah er sie an. Die kleine Frau,
das große Kind, seine Gesundheit und Krankheit, seine Ar-
che und Not.

Komm, laß uns Tee trinken, sagte sie heiter. Er glaubte
ihr kein Wort.

Außer Atem kamen sie in der Pension an. Sie bewegte
sich leicht, grüßte den Portier flüchtig, aber mit Selbstbe-
wußtsein. Im Zimmer warf sie den Mantel ab, bevor Gurow sie auch nur an der Schulter fassen konnte.

Also Tee.

Gibt es nichts Wichtigeres?

Sie hatte ihn nicht geküßt. Er begann das Zimmer zu
durchmessen. Schwieg. Als der Tee in den Gläsern dampfte,
zog sie ihn auf einen Stuhl.

Ich bleibe, sagte sie fast tonlos. Für immer.

Er fuhr zusammen. Du?

Seine Pupillen weiteten sich. Sie sah in sein starres, er-
schrockenes Gesicht, und für einen Augenblick empfand
sie Mitleid mit ihm.

Unbequem?

Als schüttelte er einen Traum ab, zuckte er mit dem
Oberkörper, erhob sich und ging zur Tür.

Wie konntest du nur –

Ja, sagte sie.

Hatte sie erwartet, daß er ihr um den Hals fallen würde?
Da saß sie, und er stand. Und zwischen ihnen lag die Zeit,
nicht aufholbar. Oder doch, wenn er seine Feigheit über-
winden würde, wenn er mit der Lüge ebenso aufhörte –

Sie lächelte in sich hinein. Wie seltsam alles war, wie verschoben. Sie lächelte und sah nicht, daß er weinte.

SABINE PETERS

Weil sie es besser nicht versteht

Weil eine Wut an Girlie fraß. Girlie, die nur im Paß Janina
Fischer hieß, könnte um sechs Uhr dreißig noch schlafen,
es würde reichen, um sieben Uhr aufzustehen, damit sie
rechtzeitig den Schulbus bekäme. Sie stand aber auf, nahm
aus dem Kleiderschrank eine Flasche Cola light, trank,
drückte die Fernbedienung, Traumfabrik Hollywood lief
als Wiederholung. Vor dem Schirm starrend, nicht sehend,
nicht hörend, begann sie gymnastische Übungen.

Englischtest heute, hoffentlich kann Jessica das Zeug, yes
Mr. Menzner, boys and girls always do their homework
after enjoying lunch with their parents, nur Girlie verzichtet täglich aufs Frühstück, fastet am Mittag, bleibt sie im
Training. Ja, Mama, das Schulbrot, die Pause, nein, Mama,
mittags McChicken vor dem Schwimmen. Echt, Mama,
mittags nach Hause kommen lohnt nicht. Einfach ein fester Wille. Wie hört sich denn ein Zentner an. Einfach der
schlanke Staat ist angesagt. Girlie speckt ab auf fünfund-
vierzig, einfache Selbstbeherrschung. Schmarotzer haben
keine Chance, krankfeiern gilt nicht mehr, es brät ein Kind
im Fernsehen eine Maus, Girlie bleibt auf Diät. Kürzungen
sind überall, die attraktiven Billiglohnländer. Nur wenn Sie
regelmäßig gezielt Sport betreiben, wirkt Ihre Diät. Mama
war als Mädchen auch schlank, sagt sie. Gertenschlank sagt
sie. Girlie bleibt auf Reduktionskurs. Sparpaket persönlich
für sie zugeschnitten. Fotomodelle schwören auf viel Wasser ohne Kohlensäure. Feuchtigkeit von innen gegen Hunger. Wilder Hunger, sehr gut, wilder wild am wildesten,
es sind Maschinen kontrolliert, feindseliges Objekt löst
sich in Luft auf. Alle Eingänge überwacht und verschlossen, Grenzen dicht, schleicht keine unsichtbare Kalorie
mehr ein, und wer gefaßt wird, abgeschoben, Sarajevo,

101

und in Tokio, New York die Covergirls, mit Springseil im Gepäck, auf ihren Reisen. Hüpfen ist effektiv und kostet nichts. Alles voll im Griff. Weiß ich nicht warum. Widerlich die breite Mama blau, drückt Kippen aus neben dem Aschenbecher, nächsten Tag ein neuer Stoffaufkleber auf der Tischdecke aus Hungerland, cool Kids are clean, sind einfach rein, nie alt und gammelig werden. Es boomt mageres Frischfleisch, unbeschwert und leicht die junge Mode, süß die Mannschaft, Raumschiff Enterprise, Mädchen in süßen Uniformen. Folgen Sie, folgendes Thema: Unsere Risikogesellschaft, Risiko wie Raumschiff. Alle im Boot schnallen die Gürtel enger. Jung und schlank sieht lecker aus. Wirksame Methoden drillen unsichtbar, sehr wirksam, makellose Haut zart knabenhaft im Sonderangebot. Wer nicht rentabel ist, dient als Organspender im Weltall. Fitness läßt sich erzwingen. Muß Liegestützenkur von vorn. Grazil die Kampfmaschine unbesiegbar, jederzeit bereit zu jedem Einsatz. Mobile Friedensstreitkräfte, mit Drückebergern ohne Milde: Wer zuviel ist, tanzt in glühenden Schuhen bis zum Idealgewicht. Spaß für alle Zuschauer, ist einfach voll die Härte light. Gewichtsklauseln in den Verträgen der Models, Produktivität bedeutet größte Leistung unter Einsatz der geringsten Kosten. Minimal Input gleich maximal Output. Ist fit for fun das business. Los geht's und Klatsch. Girlie muß sich geschmeidig üben, Muskeln musizieren. Unschöne Körper unästhetisch, einfach Restmüll. Da capo das ganze Programm, einfach der volle Durchblick. Es walzen Weltallbesitzer die überflüssigen Fresser platt und bereiten aus deren Fleisch Big Macs. Gefressen werden oder gefressen werden. Erlebnisgesellschaft ultimativ. Lächelnde Mädchen sind gut abgerichtet, yes. Dressur for fun, erhöhte Chance im struggle. Ansporn zur Höchstleistung. Das Schwelgen in Superlativen, yes, Girlie übt unermüdlich, weniger ist mehr, der Intensivkurs Selbstbeherrschung, keine Macht den Drogen, einfach anstatt Essen einen Mix aus Übungen, einfach das Leben bis zum Umfallen ein fortgesetzter Kampf, nie hinter das zurück, was schon erreicht, nach vorn sich gegenseitig steigern setzt ganz neue Kräfte frei, für einsam langweiliges Leben, lange leere lange alte kalte Tage. Hochverrat, es wird geschossen, stehenbleiben. Ein Minuspunkt für Girlie. Als Denkzettel heute statt Abendessen Liegestützenkur verschärft, das Fleisch muß willig sein, der Geist muß stark bleiben, die Konkurrenz schläft nicht, nie nachgeben, marktfähig sein, frei jeder gegen jeden. Da fühlt man, daß man lebt.

JENNY ERPENBECK

Haare

Im Bauch meiner Mutter sind mir lange schwarze Haare gewachsen, die zu Berge stehen, als ich auf die Welt komme. Es ist Frühling, und die Welt ist sehr hell. Ein schwarzes Haar nach dem andern kapituliert, fällt aus, fliegt davon, und überläßt blonden Geschwistern die Nachfolge auf meinem Kopf.

Als ich drei Jahre alt bin, steckt mein Vater mir noch Zöpfe aus Gras an, aber bald kann man meine Haare schon in zwei Büscheln zusammenfassen. Rechts und links über den Ohren stehen diese Büschel in einem Bogen von mir ab, wie Wasser, das aus einem Rohr kommt, entspringen sie einem Zopfhalter, der aussieht wie eine Kreuzung aus Margaritenblüte und Kronkorken. Bis ich fünf Jahre alt bin, werden meine Haare also gewaschen, gebürstet und gebüschelt, manchmal sogar schon geflochten. Warum es meiner Mutter ausgerechnet am Vorabend eines ersten Mai einfallen muß, sie kurz zu schneiden, weiß inzwischen niemand mehr. Heraus zum ersten Mai! Im Radio spielen sie Blasmusik. Den abgeschnittenen Zopf steckt meine Mutter zur Erinnerung in ein durchsichtiges Etui. Ich muß heraus zur Maidemonstration, aber zu Hause liegen fünfzehn Zentimeter von mir im gläsernen Sarg! An diesem Morgen defilieren Tausende an meinem kurzgeschorenen Kopf vorüber, sie zeigen mir ihre Zähne, sie lachen, nein, sie lachen mich aus, die ganze Stadt beugt sich über mich und streicht mir über den Kopf und lacht mich aus, selbst die Fahnen lachen, sie neigen sich über mich und lassen in einzigartiger Bosheit ihr langes rotes Haar in Wellen auf mich herabfallen.

Von diesem ersten Mai an will ich mindestens so dicke Zöpfe haben wie meine Cousine Heike. An deren Zöpfe kann sich rechts und links je ein Kind anhängen, dann dreht sie sich, und die Kinder fliegen. Meine Cousine Heike ist ein Karussell, ich will auch ein Karussell werden. Zu dieser Zeit sind die Haarbürsten mit den vielen einzelnen Borsten aus Plaste noch nicht erfunden, und einige Jahre später, als sie im Westen schon erfunden sind, erfahren wir nichts davon. Mit einem Kamm dauert das Auskämmen nach dem Haarewaschen zwei Stunden. Zwei Stunden sitze ich auf einem Hocker im Bad, ein Handtuch um die Schultern, und halte meiner Mutter den nassen Kopf hin, während diese ihre schwere Maischuld abbüßt, mein Haar in Strähnen unterteilt und Strähne für Strähne entfilzt. Einmal pro Woche geben wir uns auf diese Weise der Wiederherstellung der Pracht hin, zum Glück ist zu dieser Zeit die tägliche Haarwäsche noch nicht erfunden, und als sie im Westen schon erfunden ist, erfahren wir nichts davon. Während eines knappen Jahrzehnts gehören nun zwei blonde Zöpfe zu mir, die in Schlangenlinien in der Luft herumfliegen, wenn ich auf dem Schulweg renne, weil ich schon wieder zu spät bin. Mit deren Enden ich die Schallplatten abputze, wenn ich den Lappen nicht finden kann. Aus denen ich im Sommer nach dem Baden das Wasser sauge. Ich knote die Zöpfe hinten ineinander, damit sie mir nicht über die frische Tinte wischen, klemme sie manchmal aus Versehen ein, wenn

104

ich eine Tür zu schnell hinter mir zumache, und ich gehe mit diesen zwei Zöpfen zu meinem ersten Rendezvous. Der mir gefällt, trägt eine Lederjacke, die über und über mit Sicherheitsnadeln besteckt ist. Die Punks sind erfunden, aber ich habe nichts davon erfahren. Ich wickle mir die Quaste vom Zopf um den Zeigefinger und weiß nicht, was ich sagen soll. Der Punk ruft kein zweites Mal an, meine Haare geraten in Auflösung. Die Revolution auf meinem Kopf sieht nicht rot oder lila aus wie bei meinen Altersgenossinnen – mich emanzipiert sie zum Weihnachtsengel. Offene Haare! Was bisher Feiertagsfrisur war, erlaube ich mir jetzt für immer, natürlich muß ich nun selber kämmen. Und was bei Botticelli paradiesisch aussieht, verklemmt sich unter den Riemen meines Schulranzens, lädt sich elektrisch auf, wenn ich einen Pullover über den Kopf ziehe, verzwirbelt sich in unruhigen Nächten zu einem Filz. Für fünf selige Minuten im Fahrtwind hinten auf einem Moped reiße ich mir hinterher eine halbe Stunde am Schopf herum, und die ganz und gar unauflösbaren winzigen Knoten schneide ich schließlich nach klassischem Vorbild einfach ab. Einmal werde ich im Sommerurlaub ohnmächtig, als ich bei über dreißig Grad mit schiefem Kopf und einem wie der Hebel einer Maschine auf- und abfahrenden Arm an der allmorgendlichen Herrichtung meiner Frisur arbeite. Hin und wieder verwünsche ich diese Haare inbrünstig, aber so inbrünstig, wie man nur Dinge verwünscht, auf die man sich verlassen kann. Keinen Moment lang vergesse ich, daß meine Haare ein Schatz sind, in dem meine ganze Lebenszeit aufbewahrt ist, und bin geradezu besessen von der Idee, daß jemand sie mir im Schlaf abschneiden könnte. In blutigen Phantasien male ich mir aus, wie ich den Schändling martern würde.

Als ich sechzehn bin, verfängt sich der erste Mann in meinem Haar, und da, wie es scheint, haben die Fangschnüre ihren Zweck endlich erfüllt. Es wandelt mich eine Lust an, die ich bis dahin nicht kannte: diesen Flachs, der mir als

Mädchen gewachsen ist, von mir zu trennen. Zum ersten Mal in meinem Leben gehe ich zu einem Friseur, der Friseur schneidet über einen halben Meter ab, das Haar fällt zu Boden, der Friseur kehrt es zusammen und wirft es in den Mülleimer. Als ich mit meinem Freund in den Herbstferien nach Hiddensee übersetze, bläst mir der Wind um den Kopf. Es gibt aber nichts mehr, das sich verwirren könnte.

HEINER FELDHOFF

Ein Stück

Vom kalten Zaunpfahl fraß das Pferd fröhlich ein Stück knuspriger Rinde!

HEINER FELDHOFF

Kafkas Hund

Immer wenn ich mit dem Wagen in den Wald fahre und beim Heckenkarl vorbeikomme, springt ein Schäferhund herbei und wie toll am Wagen hoch. Zeigt dann seine Schnauze zähnefletschend hinter Glas auf der Höhe meines Gesichts und will mir an die Gurgel. Ganz anders als der Hund in Kafkas Tagebuch, der, so scheint's, als lamentierender Angehöriger einen Krankenwagen verfolgt, und Passanten schauen ihm schon gerührt hinterher – da gibt er's auf und bellt nicht mehr und schnüffelt sich neugierig in anderer Richtung davon. Kafkas Hund tollt also *bloß so*

herum, während der Hund vom Heckenkarl tatsächlich
den Insassen, also *mich* meint. Mein Erlebnis ist in diesem
Fall das banalere, schrecklichere, bilde ich mir ein.

HEINER FELDHOFF

Am Abend in der Notenstille
einer dunklen Schule

heißt es in der Schrift, die Dinge zu betrachten, wenn sie in
Ruhe gelassen sind, Tische unverrückt, Kreidestücke unbe-
nutzt, Fenster ungeöffnet bleiben, reizt und verwirrt uns in
einem. Bei aller Dienstwilligkeit legen die Gegenstände auf
einmal eine eigentümliche Selbstsicherheit an den Tag, die
denjenigen, der sonst nur *vorübergehend* von ihnen Gebrauch macht, in Verlegenheit bringt. Wir sind zwar ihrer
Herr, aber wir kennen kaum mehr als ihre Erscheinung, ihr
Äußeres, der Stolz ihrer Anwesenheit befremdet uns, denn
wir können die Dinge nur sehen, heißt es da, während wir
sie sehen. In den Großen Pausen bedeuten uns die Gegenstände, daß sie nicht wirklich *dingfest* zu machen sind, und
lassen in uns den Verdacht aufkommen, auch sie seien be-
lebt und machten sich einen Scherz daraus, uns tagtäglich
eine gültige Materialisation vorzugaukeln. Die hochgestell-
ten Stühle, die blanken Beine starrsinnig in die verbrauchte
Luft reckend, heißt es da weiter, rufen den Eindruck einer
berichtigten Welt hervor, in der Stundenpläne und Auf-
sichtspflichten unbekannt sind. Was treiben die Dinge hinter unserem Rücken? Jean-Paul Sartre kannte ein kleines
Mädchen, das lärmend seinen Garten verließ und dann auf
Zehenspitzen wiederkam, um zu sehen, wie er sei, wenn
es nicht da war. Hier im Zwielicht der verlassenen Schule
zeigen sich die Dinge in einer beneidenswerten Heiterkeit,

Freiheit und Unschuld, die den eingebildet Verständigen beschämen. Wie dunkel auch der Spiegel ist, mittels dessen wir jetzt, allein im Klassenzimmer, zu *sehen* anfangen – immer erheben wir uns aus solcher Sicht der Dinge eine Spur unsicherer und gestärkter zugleich, heißt es in dem Traktat unseres Ethiklehrers zur *Heiligsprechung alles Weltlichen*.

HEINER FELDHOFF

Im Aldi

Im *Aldi* stieß der dünne Mann um die Fünfzig, aber wie leicht täuscht uns das beste Alter, Eingekauftes in Holzkästen über den glatten Boden, unvermittelt sprach er mich an. Pries die Billig-Vorzüge des Ladens und wies gleichzeitig anklagend auf seine Hände, deren rötlicher Ausschlag mich erschreckte. Jetzt nahm ich den üblen Geruch wahr und hielt mich an meinem Einkaufswagen fest, eine fahrbare Sicherheitszone, er fragte nach der Ortskrankenkasse und ihren Beitragssätzen, sei nicht versichert, hundert weggeworfene Kiwis habe er am Morgen schon zur Seite geschafft, die ergäben einen herrlichen Obstsalat. Auf einmal begann der Mann mich zu interessieren, sah ich sein kurzärmeliges Hemd, die fleckige Fröhlichkeit im Unrasierten, das genügsame Lächeln im Selbstgespräch. Schon hatte er vor mir die Kassenschlangenlinie durchschritten, hölzern wechselte ich noch schnell ein paar Worte mit ihm, zögerte unmerklich beim Bezahlen der H-Milch und ließ ihn seinen Vorsprung vergrößern leichthin.

HEINER FELDHOFF

Im Gras

Wie schwer es ist, liegend im hohen, trockenen Gras, durch
das milde der Frühlingswind sirrt und jetzt vorwitzig ein
Halm seinen schaukelnden Schatten schickt, eine Men-
schenäußerung ordentlich zu Ende zu kriegen.

ERWIN STRITTMATTER

Die Hand

Ihr Vater wollte nicht, daß man ihr den rechten Unterarm
aufschnitt. Er sollte dort aufgeschnitten werden, wo einem
die Ärzte den Puls fühlen. Man wollte Wucherungen an
den Sehnen, die man bei Pferden Spat nennt, abschälen.

Der Arzt des Kleinstadtkrankenhauses sagte, es wäre
nicht notwendig, eine Spezialklinik in der Hauptstadt damit zu belasten. Ihr Vater fügte sich. Man schnitt ihr den
Unterarm auf und schälte die Wucherungen von den Sehnen.

Der Arm gehörte einem Mädchen mit blauen, gläubi-
gen Augen und durchsichtiger Haut. Das Mädchen wollte Sportlehrerin werden und hatte gern und ehrgeizig am
Reck und am Barren geturnt, aber die Sehnen der Unterar-
me waren zu schwach und antworteten mit wild wachsen-
den Verstärkungen.

Als die Armwunde geheilt war, blieben drei Finger der
rechten Hand taub. Man hatte die Nerven zerschnitten.

Das Mädchen entschloß sich, Lehrerin für Deutsch und
Russisch zu werden. Dazu mußte sie das Abitur machen.

Um das Abitur machen zu können, mußte sie wieder turnen. Wenn sie nicht turnen würde, würde sie in dieser Schuldisziplin eine Fünf erhalten. Mit einer Fünf im Zeugnis konnte sie kein Abitur machen.

Sie turnte wieder, sie war ehrgeizig, wie wir wissen; der Arm begann wieder zu schmerzen. Man bat den Arzt, der ihr die Sehnen geschält hatte, sie mit seinem Zeugnis vom Turnen fürs Abitur zu befreien. Der Arzt sagte, er wäre zu einer Freistellung nicht befugt, ein Sportarzt müsse entscheiden. Der Sportarzt sagte, sie wäre ein wehleidiges Mädchen, sie solle nur turnen.

Sie turnte, sie war ehrgeizig, wie gesagt, verbiß die Schmerzen, doch der Unterarm schwoll wieder, die Sehnen antworteten mit neuen Wucherungen.

Der Sportarzt sagte, er hätte das nicht wissen können, und befreite sie endlich fürs Abitur vom Turnen, doch der Unterarm sollte wieder aufgeschnitten, die Sehnen wieder geschält werden.

Der Vater fragte den Arzt im Kleinstadtkrankenhaus, ob nach dem zweiten Eingriff nicht die ganze Hand des Mädchens gefühllos oder steif werden würde, und wer die Garantie für eine einwandfreie Operation übernähme. Der Arzt sagte, er übernähme keine Garantie.

Das Mädchen machte das Abitur ohne Turnprüfung mit ungeschälten Sehnen und war traurig, denn der Unterarm blieb geschwollen. Um ihn wieder an Belastungen zu gewöhnen, versuchte sie es mit dem Tragen von Einkaufstaschen. Unterwegs öffneten sich die vom Nervenarzt getrennten Finger ihrer rechten Hand, die Tasche fiel zu Boden, das Mädchen weinte.

Der Vater bat den Arzt des Kleinstadtkrankenhauses, das Mädchen *invalid* zu schreiben. Der Arzt weigerte sich, doch der Vater will *Amtsinstanzen* anrufen, und eines Tages wird der Arzt bescheinigen müssen, daß seine Fahrlässigkeit aus der Staatskasse honoriert werden darf. Eine junge Frau wird später ihren Kindern mit der linken Hand übers Haar streichen – des Gefühls wegen –, man versteht.

Libidoökonomie

Lapislazuli ihre Augen, sie tanzt zwischen den Marmorsäulen, halb verdeckt, halb sichtbar. Die Kreisglieder ihrer Nippeskette auf den Hüften hüpfen im Rhythmus ihrer Sprünge, ihre Brüste nehmen die halben Drehungen auf und beben. Unlackiert ihre Fingernägel. Gelockt ihr Haar. Eine eurasische Venusfalle.

Neun Uhr vierundzwanzig. Auf die Minute genau klingelt das Telefon, und ich nehme nach dem ersten Klingeln ab. Ich brauche mich nicht vorzustellen. Ich weiß, daß die Person am anderen Ende der Leitung ihren Namen nicht nennen wird. Sie wartet, sie atmet ein und aus, und dann sagt sie ihren Satz: Schlaf weiter. Ich wollte nur sichergehen, daß du wirklich da bist. Sie legt auf, ich lege auf. Mittlerweile kann ich nach dem Anruf wieder weiterschlafen. Ich stelle den Wecker eine Stunde weiter, streiche mir über den behaarten Bauch und nicke ein, fahre aber aus dem Schlaf wie ein angerempelter Rüpel auf. Ihre Stimme hat sich derart eingeschmeichelt, daß ich ihr ein Bild zuordnen kann: Blütenfäden des Safrankrokus, frisch aus den Narben gezupft und über einer kleinen Flamme getrocknet, treiben im Wasser eines emaillierten Zubers. Langsam tauche ich eine Hand hinein, und langsam ziehe ich sie wieder hinaus, die Safranfäden haben sich in die Handlinien eingefügt und bilden ein magisches Skelett. Es ist dieser Anblick der Innenfläche meiner rechten Hand, der mich unerwartet ankommt, und dann erinnere ich mich an die anonyme Telefonterroristin, an ihre Stimme, an ihren morgendlichen Anruf um neun Uhr vierundzwanzig und an unser abendliches Gespräch um einundzwanzig Uhr vierundzwanzig. Sie hat binnen zwei Wochen geschafft, daß ich mich mittlerweile eines geordneten Tagesablaufs rühmen kann. In der Spanne zwischen diesen beiden Zeiten bin ich ein banaler Brüter, wie man sie zu Dutzenden auf den Terrassen der Cafés anfindet. Wenigstens habe ich einen Job, ich verkaufe angeschlagene Ramschware in einer kleinen Buchhandlung, die Geschäfte gedeihen prächtig.

Ich bin ein Rezessionsschurke: die Kulturhoheiten haben ausgedient, ich weine ihnen keine Träne nach. Achten Sie das nächste Mal drauf, wenn Sie einen Buchladen betreten. Die Angestellten – meist studentische Aushilfskräfte oder vergrätzte Hauptberufliche – sind erträglich. An deren Empfehlungen dürfen Sie sich allerdings nicht halten, sonst kommen Sie irgendwann auf die Idee, eine Nagelfeile in Ihre Halsschlagader zu bohren. Die Händlerbrigaden haben sich der Depression verschrieben, sie halten einen einfachen Wandteller – das Mitbringsel aus ihrem Kretaurlaub – für höheres Kulturgut. Die Angestellten sind harmlos. Im Hintergrund lauert eine hochanständige, perfekt auf das Mausoleumsmilieu adaptierte Person, die, sollte sie an der Kasse stehen, entsetzt aufschnauft, wenn Sie zur Abwechslung zum Psychothriller greifen. Das geht nicht, das gehört verboten. Sie nimmt Ihnen das Geld ab, händigt Ihnen das Rückgeld aus, verstaut das Buch in einer süßen Plastiktüte und fragt ordnungsgemäß, ob sie Ihnen eine Rechnung ausstellen soll, für den Fall, daß Sie Bücher von der Steuer absetzen können. Die Person ist eine Frau: unnahbar, wie eine bessere Vorzimmerdame gekleidet, französisch anmutend, zum Anbeißen kühl und schön. Natürlich bin ich vernarrt in diese Sorte Frau, natürlich spricht aus meiner Häme der Blödsinn eines überreizten Romantikers, dessen Avancen immerzu Schmerzensrufe des Entsetzens provozieren. Kurz: Ich versuche unbelehrbar mein Glück bei fünfundvierzigjährigen Buchhändlerinnen. Sie haben es nicht einmal nötig, mit mir professionell zu schäkern. Wenn es nach ihnen ginge, würde mir der Zutritt nur über den Boteneingang gewährt werden. Einmal schlug ich einer solchen Frau vor, ich könnte ihr die Wonnen verschaffen, über die ihre heißgeliebten drittklassigen Schwärmer schreiben. Sie blickte nicht einmal auf, als sie mir sagte, sie könne nichts dafür, daß mir eine Beischläferin fehle. Manchmal stelle ich mir folgende Szene vor: Sie läßt sich zu mir nach Hause geleiten, und kaum habe ich ihren knöchellangen Mantel am Garderobenhaken aufgehängt und mich umgedreht, beginnt sie mit der Entkleidungsschau. Ihre einzige Bedingung: ich darf mich nicht hinsetzen und es mir gemütlich machen. Einige Stunden später wache ich aus dem Traum in meinem Traum auf, schaue auf mich herunter und bemerke, daß sie ihren Lippenstift über meinen ganzen Körper verstrichen hat. Ich mag aus dem Haupttraum nicht erwachen.

Günter Kunert

Irrtum ausgeschlossen

Einem anderen hätte ich nicht geglaubt. Aber Alwin war zum Lügen völlig unbegabt. Sobald er es dennoch versuchte, verriet sein Gesicht alles. Die Pupillen weiteten sich, wie unter dem Einfluß von Belladonna, und der Blick wurde starr. Alwin unterwarf sich der nirgendwo bestätigten Behauptung, einem Lügner sei es unmöglich, anderen in die Augen zu sehen. Von diesem volkstümlichen Ausspruch habe ich nie etwas gehalten, weil gerade die richtigen, die durch und durch von ihren eigenen Schwindeleien überzeugten Lügner den Eindruck reinster Unschuld hervorrufen. Selbst wenn man sie überführt …

Alwin erzählte mir, ohne daß sich die maskenhafte Starrheit seiner Miene einstellte, er habe seinen Großvater getroffen. Er sprach davon so ruhig und beiläufig, als sei der alte Mann nicht bereits vor zehn Jahren verstorben. Als Ort der Begegnung nannte er einen Trödelladen in der Nähe des Savignyplatzes, dort, wo über den verwitterten gelblichen Backsteinwällen die S-Bahn-Züge hinpoltern. Eine Gegend, von der ich stets annahm, sie sei speziellen Epiphanien, insbesondere Geistererscheinungen, kaum günstig.

Es war ja auch kein Geist, stritt Alwin die erwähnte Substanzlosigkeit der Gestalt ab. Um den Ernst seiner Erklärung zu konterkarieren, fragte ich, ob er jetzt eine psychologisch wirksame Methode gefunden habe, seine Schwindeleien ohne äußere mimische Anzeichen an den Mann zu bringen. Er verneinte sachlich und bewies erneut, wie unfähig er für Erfindungen phantastischer Art war.

Warum denn ausgerechnet beim Trödler, Alwin?

Wieder Schulterzucken. Er habe da in dem schmalen Gang zwischen dem Vorderraum und dem Hinterzimmer gestanden und in antiquarischen Büchern geblättert. Ich kannte den Gang, eher Durchgang, zu dem hinteren Raum, den alte defekte Möbel fast unbetretbar machten. Alwin ließ sich durch Einwürfe nicht beirren und sprach vom Geruch des Papiers, der so eigenartig und dumpfig den Seiten entsteigt, und er gestand, daß er manchmal, wenn er sich vom Trödler unbeobachtet wisse, die Nase direkt zwischen die Blätter stecke und inhaliere. Die Vergangenheit, sagte er etwas verlegen, die Vergangenheit hat einen merkwürdigen Geruch.

Als er so dagestanden sei, gedankenlos, wie außerhalb des Zeitablaufs, nur in den Seiten blätternd, hätte er, wohl mit Verzögerung, Stimmen vernommen. Sein Bewußtsein habe sich verspätet eingeschaltet. Im Verkaufsraum wurde geredet. Als er zur Seite sah, erblickte er im Türausschnitt erst den Trödler und dann als zweiten den Großvater. Dieser trug wie immer seinen Paletot und auf dem Kopf, auch wie immer, einen Homburger, diesen unmodernen Hut, weißt du, mit der rundum auf- und einwärts gebogenen Krempe. Darunter weißes Haar. An einem Finger der Linken jener breite Siegelring, den Alwin schon als Knabe bewundert hatte.

Alwin berichtete ruhig weiter, ohne die Stimme zu heben, daß er zwar verblüfft gewesen sei, aber nicht erschrocken. Er habe das Buch sorgfältig ins Regal zurückgestellt, doch als er sich wieder dem Laden zuwandte (»Da war das Gespenst verschwunden!« warf ich ein), wäre der Großvater gerade aus dem Geschäft gegangen. Alwin wollte ihm folgen, nur hielt ihn der Trödler einen Moment auf, und als er endlich hinauskonnte auf die Straße, war kein Großvater mehr da. Alwin kehrte in den Laden zurück, um den Trödler nach dem eben verschwundenen Kunden zu befragen, erhielt jedoch keine befriedigende Auskunft. Der Trödler konnte sich nicht erinnern, den »alten Herrn« vordem gesehen oder gar bedient zu haben. Laufkundschaft, wissen Sie. Und sich die Gesichter aller Leute merken, die zwischen dem Kram herumstöbern, mein Gott, da hätte man viel zu tun … Freilich verlangte er noch zu wissen, ob mit dem »alten Herrn« irgend etwas nicht stimme, so daß er fürs nächste Mal vorgewarnt wäre, aber Alwin mochte ihm nichts von dem Wiedererkennen sagen. Man wird in dieser verrückten Welt heutzutage selber leicht für verrückt gehalten, nicht wahr? Und so verließ er den Laden »tief in Gedanken versunken«, wie solch Zustand in diversen antiquarischen Büchern bezeichnet wird.

Nach zwei Tagen war Alwin überzeugt, einer optischen Täuschung aufgesessen zu sein. Bis ihm am dritten Tage erneut beim Trödler, und wieder im Durchgang in den Büchern stöbernd, dasselbe begegnete. Im Laden stand der Großvater und beugte sich über eine Vitrine mit Porzellanfiguren und Wiener Bronzen.

Diesmal zögerte Alwin nicht, noch mit dem Buch in der Hand eilte er auf den Großvater zu, der sich ob der ungestümen Annäherung zu ihm wandte. Alwin fand sich einem Fremden gegenüber, der erstaunt aufsah, als da ein junger aufgeregter Mann mit einem Buch in der Hand vor ihm erschien, den Mund schon halb offen, aus dem dann doch nur eine Ausrede erklang, gepaart mit dem starren Blick, der reglosen Miene, was den »alten Herrn« vermutlich etwas verstörte.

Also doch ein Irrtum! Heimlich atmete ich auf, denn im Verlauf seiner Erzählung kam er mir immer nervöser, ja, krankhaft vor. Nun war ich beruhigt. Aber die Beruhigung hielt nicht vor. Denn nachdem Alwin sich mit dem Buch wieder in den Durchgang zurückgezogen hatte und noch einmal umwandte, sei der Fremde erneut zu seinem Großvater geworden, der ihm nun freundlich und vertraut zulächelte und auch eine kleine Geste des Erkennens zeigte. Unversehens, als habe er sie vorher nicht beachtet, seien ihm, Alwin, jetzt auch einige der Möbelstücke bekannt vorgekommen, auch einiges von den Gegenständen schien ihm altgewohnt, als befände er sich an einem Ort seiner Jugend, als wäre er seitdem nicht gealtert, und als er das Buch in seiner Hand anschaute, meinte er, es früher schon einmal gelesen zu haben. Es war die Geschichte von »Rip van Winkle«, fuhr er fort, du weißt doch, von dem Menschen, der in einer Höhle einschläft, um erst nach hundert Jahren aufzuwachen, in einer gänzlich veränderten Welt, in der er sich nicht mehr zurechtfindet.

Ich kannte die Geschichte, eine moderne Variante der christlichen Legende von den Sieben Schläfern in Ephesus, und protzte sofort mit meiner Kenntnis. Alwin hingegen blieb beim Thema: Er habe das Buch als letzte Warnung verstanden und den Laden verlassen, ohne ihn je wieder zu betreten.

Es war bestimmt der Muff aus den Büchern, schlug ich vor, ein Bestandteil des Papiers oder des Buchbinderleims, irgend etwas Toxisches, das unter gewissen Umständen frei gesetzt wird: Das hast du eingeatmet, Alwin! Ein die Sinne betäubendes und täuschendes Gift! Es gibt für jedes Phänomen eine rationale Erklärung!

Alwin stimmte mir zögernd zu, und ich merkte, daß er nicht sehr froh darüber war. Du kannst mir glauben, Alwin! Du glaubst mir doch!

Ja, ja, sagte Alwin, wobei sein Gesicht maskenhaft wurde, die Pupillen die Iris fast zur Gänze abdeckten. Ferner hätte ich noch etwas über die Projektionen unserer Phantasie in Augenblicken der Bewußtseinstrübung hinzufügen können, aber da ich wußte, wie sehr er seinen Großvater geliebt hatte, verkniff ich mir weitere aufklärende Sprüche, mit denen ich ihn um etwas betrogen haben würde, das, wie ich merkte, ihm viel wichtiger war als eine jener Wahrheiten, die uns ärmer zurücklassen, sobald wir sie einzusehen gezwungen werden.

BOTHO STRAUSS

Rückkehr

Da gab es den Bäckermeister Alwin, der eines Morgens nicht mehr in seine Backstube kam, seine Frau Myriam verließ und nach Mexiko auswanderte. Dort kaufte er sich in eine Papierfabrik ein und wurde ein erfolgreicher Fabrikant. Schließlich gehörten ihm zwölf Papierfabriken in ganz Lateinamerika. Nach fünfundzwanzig Jahren kehrte er nach Hannover zurück. Dort lebte seine Frau immer noch in der kleinen Wohnung am Rande der Eilenriede. Sie war inzwischen fünfzig Jahre alt und litt eine bittere Armut. Als ihr Mann davon erfuhr, nahm er sich ein Herz und besuchte seine Frau in ihrer beider alten Bleibe. Die Frau saß bei einem Glas Pfirsichlikör an ihrem Tisch, an dem sie immer gesessen hatte, wenn die Küchenarbeit beendet war. Sie blickte auf, als ihr Mann plötzlich wieder neben ihr stand, und sah dann zurück auf die Tischplatte. Sie hörte, welch ein Angebot er ihr machte und welche Unterstützung er ihr versprach. Doch sie schüttelte den Kopf und bat ihn, sie wieder mit ihm allein zu lassen.

Das Billett

Schon ein alter Sohn, saß der verwitwete M. mit seinen uralten Eltern beim Kartenspiel. Die Mutter, die von Zeit zu
Zeit noch einmal eine Leidenschaft für ihren Mann ergriff,
als wäre sie frisch verliebt – aber es war gerade deshalb,
weil sie zusammen so alt geworden waren und immer noch
ein gutes Paar! – die Mutter also störte es, daß der Mann
gar nichts von ihrem jugendlichen Erröten bemerkte und
die meiste Zeit tonlos vor sich hin pfiff. Da sann sie auf
eine kleine Intrige, bei der ihr Sohn als Komplize mitwir-
ken mußte. Unter seine Karten war das Billetdoux eines
Liebhabers gemischt, das sie mit verstellter Handschrift
und in altmodischem Stil selbst verfaßt hatte. Der Sohn
ließ, wie verabredet, nach einigen Spielrunden plötzlich
seine brennende Zigarette aus dem Mund fallen. In heftiger Bewegung versuchte er sein scheinbares Mißgeschick
zu beheben, kniete am Boden, um die Kippe aufzunehmen
und den angesengten Teppichflor zu putzen. Unterdessen
schob er das aufgefächerte Kartenspiel dem Vater in die
Hand, so daß dieser nicht umhinkonnte, das Blatt seines
Sohns zu mustern und dabei auf die Liebesadresse an seine
Frau stieß.

In diesem Augenblick rief aber sein Mütterchen wider
jede Verabredung: Nein! Bitte lies es nicht. Es ist ja nur ein
Spaß!

Nachdem der Vater nun doch das Billett gelesen hatte,
gab er es ungerührt, mit einem gutmütigen Kopfschütteln
an seine vorwitzige Frau zurück und sagte: Was dir nicht
alles durch den Kopf geht!

Ja, wie konnte sie nur! Aber der Sohn war verärgert und
fragte sie später, weshalb sie das ausgedachte Manöver
nicht bis zum Ende geführt habe. Die Greisin antwortete
in aller Unschuld: Ich fürchtete plötzlich, es könne ihm das
Herz stehenbleiben, wenn er den Zettel liest!

ARNO GEIGER
Neuigkeiten aus Hokkaido

Der Winter war sehr kalt. Weder im Januar noch im Februar kam die Temperatur über minus 4° hinaus. Alles war gefroren, ich inklusive. Manchmal hatte es sogar minus 20°. Das war schwer für mich, denn ich kannte die kalte Welt bisher nur aus Osaka, dort hat es im Winter immer 1° oder 0°. Die Erfahrung von minus 4° oder minus 20° habe ich erst auf Hokkaido gemacht. Automotoren bewegten sich nicht mehr, und auch mein Körper kam nicht mehr in Schwung.

Aber am 26. Februar stieg die Temperatur auf 15°, so kam endlich der Frühling über mich. Frühling auf Hokkaido. Keine gefrorene Nase. Kein Schnee. Kein Mantel. Wie glücklich ich bin! Die Sonne scheint auf meinen ganzen Körper.

Unlängst kaufte ich ein Buch über *Alte Japanische Frauengeschichten* von Sugoro Yamamoto. Er ist schon tot. Aber seine Bücher gibt es noch zu kaufen. Eines Tages werde ich dieses Buch ins Deutsche übersetzen und es dir geben. Du wirst tief bewegt sein, weil du Japan schon ein wenig kennst und auch die japanischen Frauen, die Frauen aber viel zu wenig. Herr Yamamoto erklärt das Innenleben der Frau und die wichtigsten Dinge über deren Herz, damit Männer sich selbst besser verstehen, als wären sie an Stelle einer Frau. Warte noch ein oder zwei Jahre, bis mein Deutsch besser geworden ist.

Diese Geschichten habe ich aus der Zeitung.

1.

Ein Mann, der ganz in meiner Nähe wohnte, wurde jeden Morgen, wenn er das Haus verließ, von einem Hund angebellt. Der Hund verbellte nie einen anderen Nachbarn, nur den einen, den er nicht mochte. Jeden Tag, wenn der Mann zur Arbeit ging, bellte der Hund, was den Mann ärgerte. Eines Nachts fing er den Hund ein und strangulierte ihn mit einer Drahtschlinge. Der Besitzer des Hundes rätselte, wohin der Hund gekommen ist. Auch die Frau des Mannes, der den Hund stranguliert hatte, wußte nicht, was vorgefallen war. Niemand hatte etwas mitbekommen. Von nun an konnte der Mann am Morgen zur Arbeit gehen, ohne angebellt zu werden. Das gefiel ihm. Eines Tages fragte ihn ein Arbeitskollege, was aus dem bellenden Hund geworden sei. Der Mann sagte: »Ich habe ihn gegrillt.« Ein anderer Arbeitskollege, der das Gespräch mitgehört hatte, ging zur Polizei, und der Hundemörder wurde festgenommen. Das ist eine sehr lustige Neuigkeit, finde ich, weil man daraus ersehen kann, daß Japan kein zivilisiertes Land mehr ist. Der Mann sagte zur Polizei: »Der Geschmack der Hinterbacken ist hervorragend.«

2.

Kennst du die Tokaido Linie? Sie war wochenlang unpünktlich wegen Schnee und Eis. Wenn Schnee fällt, bricht der Eisenbahnverkehr komplett zusammen. Jeder weiß das. In der Zeitung stand: »Die Wetterstation prognostiziert, sowie die Tokaido Linie wieder pünktlich fährt, ist der Frühling eingetroffen.«

3.

Einbrecher legten Feuer in einem Haus. Der Mann und die Frau konnten sich retten, aber ihr einjähriges Kind blieb im Haus zurück. Das machte alle sehr unglücklich. Nach-

dem das Haus komplett heruntergebrannt war, hörten sie
das Baby schreien. Es war ins Badezimmer gekrochen, wo
es von herabstürzenden Teilen zugedeckt wurde. Glückliches Kind. Die Eltern weinten vor Freude. Die Schaulustigen und die Feuerwehrleute applaudierten. Ein Journalist
schrieb: »Ich bin glücklich. Sowie das Kind erwachsen ist,
soll es auf die Feuerwehrakademie gehen und dort unterrichten, wie man sich im Brandfall verhält.«

4.

Ein vier Jahre alter Bub reiste von Nagoya nach Hokkaido.
Das kam so: Eines Tages nahmen ihn seine Eltern mit in den
Stadtpark. Sie ließen ihn für einen Moment aus den Augen,
schon war er verschwunden. Die Eltern waren überrascht
und ratlos, sie suchten ihn, konnten ihn aber nicht finden.
Nach einiger Zeit alarmierten sie die Polizei. Beamte suchten nach dem Kind, aber es gab keine Spur. Man dachte an
Entführung, denn die Eltern hatten Geld. Nach 45 Stunden
wurde der Junge am Sapporo-Bahnhof von Polizisten aufgegriffen. Der Junge gab einem Journalisten ein Interview
und sagte: »Ich habe den Bus zum Flughafen genommen
und bin mit einem Jet geflogen. Der Himmel ist blau und
die Wolken sind wunderschön. Dann nahm ich einen Zug
und schlief dort. Als ich wieder aufwachte, war ich hungrig.« »Weißt du, wo du jetzt bist?« fragte der Journalist.
»Auf Hokkaido«, sagte der Junge.

5.

Ein Mann wollte Sushi aus Tokio. Also versteckte er sich
im Radkasten eines Flugzeugs. Nach zwei Stunden landete
das Flugzeug, der Mann lebte noch und wurde festgenommen. Der Mann sagte, ich will ins Guiness Buch der Rekorde. Aber statt dessen kam er in die Irrenanstalt.

6.

Ein junges Mädchen und ihre Mutter, eine Witwe, luden den Verlobten der Tochter zum Abendessen ein. Als sie feststellten, daß sie keinen Wein hatten, ging die Tochter auf den Markt, um welchen zu kaufen. Während die Tochter unterwegs war, verführte die Mutter den Verlobten und hatte Sex mit ihm. Als die junge Frau zurückkam, merkte sie, was geschehen war, machte den Wein auf und sagte: »Gut, Mutter, ich überlasse dir meinen Verlobten. Ich finde einen anderen.«

Ist das nicht eine verrückte Familie? Ja, das ist eine wahre Neuigkeit aus Hokkaido.

7.

Eine andere Neuigkeit.

Ein Paar flog in den Flitterwochen nach Hongkong. Die beiden nahmen ein Taxi. Der frischgebackene Ehemann veranlaßte den Taxifahrer zum Anhalten, weil er Zigaretten kaufen wollte. Er sprang aus dem Taxi zu einem Automaten, da fuhr das Taxi davon. Der Mann ging zur nächsten Polizeistation, aber dort wurde seine Aussage nicht aufgenommen, weil man in dem Vorfall kein Verbrechen sehen konnte. So fuhr der Mann allein nach Japan zurück. Mittlerweile ist mehr als ein Jahr vergangen, und niemand weiß, wo die Ehefrau des Mannes geblieben ist. In der Zeitung vermuten sie, die Frau lebe im Untergrund als Prostituierte oder etwas Ähnliches.

8.

Das ist nicht aus der Zeitung, mein Bruder hat es mir erzählt.

Ein Freund von ihm, der im selben Büro arbeitet, hat geheiratet. Er flog mit seiner Frau in den Flitterwochen in die USA. Dort stiegen sie in einem Hotel in Los Angeles

ab, aber weil sie kein Wort Englisch sprachen, nicht wußten, wie man einen Bus nimmt oder ein Restaurant besucht,
kauften sie ein Brot und gingen zurück ins Hotel, wo sie
das Brot aßen. Das ist alles. Sie verbrachten die ganze Woche zwischen Brotkaufen und Hotel. Kannst du dir das
vorstellen? In den Flitterwochen. Nachdem der Freund
meines Bruders zurückgekommen war, erzählte er jedem:
»Wir waren in Amerika!«

9.

Das ist, was mir meine Schwester erzählt hat:
  Eine Bekannte von ihr heiratete, sie fuhren in den Flitterwochen nach Hawaii. Sie kamen zurück, und nach neun
Monaten brachte die Frau ein Kind auf die Welt, es war
farbig. Alle waren überrascht. Der Mann fragte seine Frau,
wie das komme, da fiel es ihr wieder ein. Als sie am Waiki-
ki Beach waren, mußte sie auf die Toilette und wurde dort
von einem farbigen Mann vergewaltigt. Sie hielt es geheim.
Jetzt haben sie das farbige Kind weggegeben und sind noch
immer zusammen. Keine Scheidung. Aber sie sind sehr
traurige Menschen.
  Das sagt meine Schwester.

PS:
Es tut mir sehr leid, daß ich dir auch diesmal kein japa-
nisches Schwert schicken kann. Aber ich habe noch keine
geeignete Holzschachtel gefunden. Ich werde mir dem-
nächst ein Brett kaufen, es zurechtsägen und eine spezielle
Schwert-Kiste bauen. Der Mann auf der Post sagte: »Wenn
dein Paket zusammenbricht und das Schwert verbogen
wird, werden wir dir den Schaden nicht ersetzen ...« Davor habe ich Angst, weißt du. Jetzt denke ich darüber nach,
ob nicht vielleicht auch ich heiraten soll. Dann könnte ich
endlich nach Europa reisen, was ich nur immer verspreche,
und dir das Schwert persönlich bringen. Vergib mir, daß du
noch ein wenig warten mußt.

Wenn du mir ein Foto schicken willst, schick mir eins von meinem Lieblingsplatz, dem Machu Picchu. Ok?

Ich weiß, es gibt im Leben steile Berge und freundlicher geneigte Landschaften. Aber ich klettere gerade auf einen der steilen Berge. Vielleicht kannst du meine Situation verstehen. – Ja. – Wenn ich erst einmal oben auf dem Berg bin, werde ich auch auf ebenen Feldern gehen können. Daran glaube ich.

III. Vorschläge zur Textarbeit

1. Augenblicksbild

In welchem Verhältnis stehen Erzählzeit und erzählte Zeit?
Worauf konzentriert sich der Text?

Sarah Kirsch: *Dunkler Sommer*
Franz Hohler: *Unterwegs*
Franz Hohler: *Daheim*
Anne Duden: *Wimpertier*

2. Summe eines Menschenlebens

In welchem Verhältnis stehen Erzählzeit und erzählte Zeit?
Welches Ereignis steht im Mittelpunkt?

Ilma Rakusa: *Durch Schnee*
Brigitte Kronauer: *Eine kleine Lebensgeschichte*
Marie Luise Kaschnitz: *Schwester – Schwester*

3. Gattungsgrenzen

Handelt es sich wirklich um Kürzestgeschichten? Zu welchen anderen Gattungen und Untergattungen finden sich Parallelen?

Günter Grass: *Kürzestgeschichten aus Berlin*
Günter Kunert: *Ballade vom Ofensetzer*
Thomas Hürlimann: *Applaus für ein Pferd*
Arno Geiger: *Neuigkeiten aus Hokkaido*

4. Phantastisches

Wie und mit welcher Wirkung wird hier Wirklichkeit ver-
fremdet?

Beat Brechbühl: *Die Maus*
Christoph Meckel: *Das Hotel*
Helmut Heißenbüttel: *Ein Zimmer in meiner Wohnung*
Horst Bingel: *Die Mäusearmee*
Felicitas Hoppe: *Picknick der Friseure*
Günter Kunert: *Irrtum ausgeschlossen*

5. Intertextualität

In welchem Verhältnis stehen die Texte zueinander?

Robert Walser: *Mittagspause** – Wolf Wondratschek:
Mittagspause
Felicitas Hoppe: *Picknick der Friseure* – Kerstin Hensel:
Ausflug der Friseure
Helmut Heißenbüttel: *Ein Zimmer in meiner Wohnung*
– Kafkas Parabel: *Vor dem Gesetz**
Heiner Feldhoff: *Im Gras* – Annette von Droste Hüls-
hoff: *Im Grase**
Kerstin Hensel: *Des Kaisers Rad* und das Märchen: *Des
Kaisers neue Kleider**
Botho Strauß: *Rückkehr* – Johann Peter Hebel: *Unver-
hofftes Wiedersehen**

(Die mit * gekennzeichneten Texte finden sich nicht im
vorliegenden Band.)

6. Familie

Welche familiären Konflikte werden thematisiert? Wie werden sie dargestellt?

Sabine Peters: *Weil sie es nicht besser versteht*
Peter Bichsel: *San Salvador*
Erwin Strittmatter: *Die Hand*
Botho Strauß: *Drüben*
Botho Strauß: *Mädchen mit Zierkamm*
Jenny Erpenbeck: *Haare*

7. Gesellschaftskritik

Arbeiten Sie die gesellschaftskritischen Aspekte heraus:

Kurt Marti: *Neapel sehen*
Helga M. Novak: *Eis*
Heiner Feldhoff: *Im Aldi*
Linus Reichlin: *Einseitig*
Rafik Shami: *Mehmet*
Anja Tuckermann: *Am Bahnhof Zoo*
Dagmar Leupold: *Vietnam Veteran*
Dagmar Leupold: *Der Schuh*
Franz Hohler: *Die Göttin*

8. Historisches

Um welche geschichtlichen Ereignisse geht es hier? In welchem Verhältnis stehen Natur und Geschichte zueinander?

Peter Handke: *Versuch des Exorzismus der einen Geschichte durch eine andere*; ziehen Sie die Interpretation von Christian Jäger[1] hinzu.
Sarah Kirsch: *Mainacht*

---

1 In: *Interpretationen. Deutsche Kurzprosa der Gegenwart,* hrsg. von Werner Bellmann und Christine Hummel, Stuttgart 2006. S. 212–221.

9. Kreatives Schreiben

a. Schreiben Sie weiter:

Günter Bruno Fuchs: *Geschichte aus der Großstadt*
Beat Brechbühl: *Die Maus*
Horst Bingel: *Die Mäusearmee*
Botho Strauß: *Mädchen mit Zierkamm*

b. Was geschah zuvor?

Heiner Feldhoff: *Im Aldi*
Anja Tuckermann: *Am Bahnhof Zoo*

c. Entwickeln Sie eine weitere Perspektive:

Dagmar Leupold: *Der Schuh*
Helga M. Novak: *Eis*
Sabine Peters: *Weil sie es besser nicht versteht*

IV. Autoren- und Quellenverzeichnis

BERNHARD, THOMAS
(9. 2. 1931 Heerlen/Niederlande – 12. 2. 1989 Gmunden/Österreich)

  (1) Fast 47
  (2) Frühzug 48
T. B.: Der Stimmenimitator. Frankfurt a. M.: Suhrkamp, 1978.
S. 27 f. (1), S. 41 (2).

BICHSEL, PETER   (geb. 24. 3. 1935 Luzern)

  (1) San Salvador 29
  (2) Roman 31
  (3) Erklärung 33
P. B.: Eigentlich möchte Frau Blum den Milchmann kennenlernen.
21 Geschichten. Olten / Freiburg i. Br.: Walter, 1972. [Erstdruck
1964.]. S. 34 f. (1), S. 46 f. (2), S. 48 (3).

BINGEL, HORST   (geb. 6. 10. 1933 Korbach – 14. 4. 2008 Frankfurt a. M.)

  Die Mäusearmee 33
H. B.: Herr Sylvester wohnt unter dem Dach. Erzählungen. München: Deutscher Taschenbuch Verlag 1967. S. 104 f.

BRECHBÜHL, BEAT   (geb. 28. 7. 1939 Opplingen)

  Die Maus 51
B. B.: Die Glasfrau und andere merkwürdige Geschichten. Zürich:
Nagel & Kimche, 1985. S. 43–46.

DODERER, HEIMITO VON   (5. 9. 1896 bei Wien – 23. 12. 1966 Wien)

  Kürzestgeschichten aus Wien: Das Frühstück / Unser
  Zeitalter / Die Liebe / Ehrfurcht vor dem Alter 17
Akzente 2 (1955) H. 6, S. 513.

DORN, THEA   (geb. 23. 7. 1970 Offenbach)

  Vorsicht Steinschlag 76
Der kleine Mord zwischendurch. 52 üble Kurzkrimis […]. Hrsg. von
Manuela Kessler. Bern/München/Wien: Scherz, 1997. S. 163–165.

DUDEN, ANNE   (geb. 1. 1. 1942 Oldenburg)

A. D.: Wimpertier. Köln: Kiepenheuer & Witsch, 1995. S. 27–29 (1), S. 57 f. (2).

EICH, GÜNTER

(1. 2. 1907 Lebus a. d. Oder – 20. 12. 1972 Groß-Gmain bei Salzburg)

G. E.: Gesammelte Maulwürfe. Frankfurt a.M.: Suhrkamp, 1984. S. 48 f. (1), S. 134 (2), S. 138 (3). [Erstdrucke in: G. E.: Maulwürfe. Frankfurt a. M.: Suhrkamp, 1968 (1, 2) bzw. G. E.: Ein Tibeter in meinem Büro. Frankfurt a. M.: Suhrkamp, 1970 (3).]

ELSNER, GISELA   (2. 5. 1937 Nürnberg – 13. 5. 1992 München)

Akzente 2 (1955) H. 6, S. 518 f.

ERPENBECK, JENNY   (geb. 12. 3. 1967 Berlin)

J. E.: Tand. Berlin: Eichborn, 2001. S. 63–66.

FELDHOFF, HEINER   (geb. 27. 5. 1945 Steinheim/Westfalen)

F. H.: Kafkas Hund oder Der Verwirrte im Sonntagsstaat. Kürzestgeschichten. Tübingen: Klöpfer & Meyer / DVA, 2001. S. 55 (1), S. 58 (2), S. 74 f. (3), S. 77 (4), S. 127 (5).

Hoppe, Felicitas   (geb. 22. 12. 1960 Hameln)

F. H.: Picknick der Friseure. Geschichten. Reinbek: Rowohlt, 1996. S. 22–25.

Hürlimann, Thomas   (geb. 21. 12. 1950 Zug/Schweiz)

T. H.: Die Satellitenstadt. Geschichten. Zürich: Ammann, 1992. S. 138–141.

Kaschnitz, Marie Luise   (31. 1. 1901 Karlsruhe – 10. 10. 1974 Rom)

M. L. K.: Steht noch dahin. Frankfurt a. M.: Suhrkamp, 1981. S. 18 (1), S. 22 (2), S. 38 (3), S. 72 (4). [Erstdruck: Steht noch dahin. Neue Prosa. Frankfurt a. M.: Insel, 1970.]

Kirsch, Sarah (d. i. Ingrid Bernstein)
(16. 4. 1935 Limlingrode – 5. 5. 2013 Heide)

S. K.: Luftspringerin. Gesammelte Gedichte und Prosa. Stuttgart: Deutsche Verlags-Anstalt, 1997. S. 111 (1) und 115 (2). [Erstdruck: S. K.: Irrstern. Stuttgart: Deutsche Verlags-Anstalt, 1986.]

Kronauer, Brigitte   (geb. 29. 12. 1940 Essen)

B. K.: Die gemusterte Nacht. Erzählungen. Stuttgart: Klett-Cotta, 1981. S. 169 f.

Kunert, Günter   (geb. 6. 3. 1929 Berlin)

G. K.: Tagträume in Berlin und andernorts. München/Wien: Hanser, 1972. S. 51 f. (1).
G. K.: Irrtum ausgeschlossen. Geschichten zwischen gestern und morgen. München/Wien: Hanser, 2006, S. 80–83 (2).

LENS, CONNY (d.i. Friedrich Hitzbleck) (geb. 10. 3. 1951 Essen)

Seit Wochen 74

Der kleine Mord zwischendurch. 52 üble Kurzkrimis [...]. Hrsg. von Manuela Kessler. Bern/München/Wien: Scherz, 1997. S. 134–136.

LEUPOLD, DAGMAR (geb. 23. 10. 1955 Niederlahnstein)

(1) Vietnam Veteran / Penn Station, New York 89
(2) Der Schuh 90

D.L.: Destillate. Frankfurt a. M.: Fischer Taschenbuch Verlag, 1996. S. 55 (1), S. 64 f. (2).

MAIWALD, PETER (geb. 8. 11. 1946 Grötzingen)

Der Liebebedürftige 69

P.M.: Das Gutenbergsche Völkchen. Kalendergeschichten. Frankfurt a. M.: S. Fischer, 1990. S. 11.

MARTI, KURT (geb. 31. 1. 1921 Bern)

Neapel sehen 24

K. M.: Dorfgeschichten. Zürich: Flamberg, 1960. S. 60–62.

MECKEL, CHRISTOPH (geb. 12. 6. 1935 Berlin)

Das Hotel 26

C. M.: Verschiedene Tätigkeiten. Geschichten, Bilder und Gedichte. Hrsg. von Wulf Segebrecht. Stuttgart: Reclam, 1972. S. 18 f. [Erstdruck in: C.M.: Im Land der Umbranauten. Stuttgart: Deutsche Verlags-Anstalt, 1961.]

MÜLLER, HEINER (9. 1. 1929 Eppendorf – 30. 12. 1995 Berlin)

(1) Schotterbek 21
(2) *Daß Hitler die ihm aufgetragenen Arbeiten* 22
(3) Erzählung des Arbeiters Franz K. 23

H.M.: Die Prosa. Werke 2. Hrsg. von Frank Hörnigk [u. a.]. Frankfurt a. M.: Suhrkamp, 1999. S. 32 (1), S. 68 f. (2), S. 75 (3). [Erstdruck von (1) 1977, von (2) 1988, von (3) 1958.]

NOVAK, HELGA M. (d. i. Maria Karlsdottir)   (geb. 8. 9. 1935 Berlin)

Eis 35

H. M. N.: Geselliges Beisammensein. Prosa. Neuwied/Berlin: Luchterhand, 1968. S. 130–132.

PETERS, SABINE   (geb. 17. 1. 1961 Neuwied)

Weil sie es besser nicht versteht 101

S. P.: Nimmersatt. Göttingen: Wallstein, 2000. S. 114–116.

RAKUSA, ILMA   (geb. 2. 1. 1946, Rimavská Sabota/Slowakei)

Durch Schnee 97

I. R.: Durch Schnee. Erzählungen und Prosaminiaturen. Mit einem Nachw. von Kathrin Röggla. Frankfurt a. M.: Suhrkamp, 2006. S. 205–208. [Erstdruck in: drehpunkt 98 (1997) S. 8–12.

REICHLIN, LINUS   (geb. 9. 6. 1957 Aarau)

Einseitig 54

Franz Hohler (Hrsg.): 112 einseitige Geschichten. München: Luchterhand Literaturverlag, 2007. S. 82. [Erstdruck in: zuri-tip, Dezember, Zürich 1986.]

SHAMI, RAFIK   (geb. 23. 6. 1946 Damaskus)

Mehmet 67

R. S.: Die Sehnsucht fährt schwarz. Geschichten aus der Fremde. München: Deutscher Taschenbuch Verlag, 1988. S. 47 f.

STRAUSS, BOTHO   (geb. 2. 12. 1944 Naumburg)

(1) Mädchen mit Zierkamm 55
(2) Drüben 59
(3) Rückkehr 117
(4) Das Billett 118

B. S.: Niemand anderes. München/Wien: Hanser, 1987. S. 7–11 (1), S. 15–18 (2).
B. S.: Mikado. München/Wien: Hanser, 2006. S. 13 (3), S. 34 f. (4).

STRITTMATTER, ERWIN
(14. 8. 1912 Spremberg – 31. 1. 1994 Schulzenhof/Stechlin)

E. S.: Geschichten ohne Heimat. [Aus dem Nachlass.] Hrsg. von Eva Strittmatter. Berlin: Aufbau-Verlag, 2002. S. 79–81.

TUCKERMANN, ANJA   (geb. 24. 11. 1961 Selb)

Franz Hohler (Hrsg.): 112 einseitige Geschichten. München: Luchterhand Literaturverlag, 2007. S. 118. [Erstdruck in: Der Literat, Juli/August 1985.]

WOLF, ROR   (geb. 29. 6. 1932 Saalfeld/Saale)

R. W.: Danke schön. Nichts zu danken. Geschichten / Mehrere Männer. Sechsundachtzig ziemlich kurze Geschichten und eine längere Reise. Frankfurt: Frankfurter Verlagsanstalt, 1995. S. 163 (1), S. 164 (2), S. 185 (3), S. 195 (4), S. 216 (5), S. 236 (6). [Erstdruck: Mehrere Manner. Darmstadt: Luchterhand, 1987.]

WONDRATSCHEK, WOLF   (geb. 14. 8. 1943 Rudolstadt)

W. W.: Früher begann der Tag mit einer Schusswunde. München/ Wien: Hanser, 1971. [Erstdruck 1969.] S. 52 f. (1), S. 54 f. (2), S. 67 (3).

ZAIMOĞLU, FERIDUN   (geb. 4. 12. 1964, Bolu/Türkei)

F. Z.: Zwölf Gramm Glück. Erzählungen. Köln: Kiepenheuer & Witsch, 2004. S. 39–41.

V. Literaturhinweise

Althaus, Thomas, Wolfgang Bunzel, Dirk Göttsche (Hrsg.): Kleine Prosa: Theorie und Geschichte eines Textfeldes im Literatursystem der Moderne. Tübingen 2007.

Bellmann, Werner: Nachwort. In: Klassische Deutsche Kurzgeschichten. Hrsg. von Werner Bellmann. Stuttgart 2003. S. 313–333.

– Nachwort. In: Deutsche Kurzprosa der Gegenwart. Hrsg. von Werner Bellmann und Christine Hummel. Stuttgart 2005. S. 191–203.

Nayhauss, Christoph Graf von (Hrsg.): Kürzestgeschichten. Für die Sekundarstufe. Stuttgart 1982.

Göttsche, Dirk: Kleine Prosa in Moderne und Gegenwart. Münster 2006.

Marx, Leonie: Die deutsche Kurzgeschichte. Stuttgart/Weimar 2., überarb. und erw. Aufl. 1997; [3]2005.

Meyer, Urs: Kurz- und Kürzestgeschichte. In: Kleine literarische Formen in Einzeldarstellungen. [Ohne Hrsg.] Stuttgart 2002. S. 124–146.

Riha, Karl: Kürzestgeschichten am Beispiel von Helmut Heißenbüttel und Ror Wolf. In: Dominique Ihl, Horst Hombourg (Hrsg.): Von der Novelle zur Kurzgeschichte. Beiträge zur Geschichte der deutschen Erzählliteratur. Frankfurt a. M. [u. a.] 1990. S. 113–124.

Scheuer, Helmut: Minutenaufzeichnungen. Beobachtungen zur modernen Kurzprosa von Eich bis Kunert. In: Literatur für Leser (1982) S. 56–63.

Schubert, Susanne: Die Kürzestgeschichte: Struktur und Wirkung. Annäherung an die Short Short Story unter dissonanztheoretischen Gesichtspunkten. Berlin / New York [u.a.] 1997.

Zander, Jürgen: Die moderne Kürzestgeschichte in der Sekundarstufe I. Diss. Karlsruhe 1992.